MAINE ROMAN
SICILE ROMANE
PORTUGAL ROMAN 1
PORTUGAL ROMAN 2
POUILLES ROMANES
ANGLETERRE ROMANE 2
CALABRE ROMANE
BELGIQUE ROMANE
SARDAIGNE ROMANE
LYONNAIS SAVOIE
ABRUZZES MOLISE

ABRUZZES
ROMANS

Paolo Favole
architecte

avec la collaboration de Docteur Francesca Del Vitto

Photographies inédites de Zodiaque

ABRUZZES MO

LISE ROMANS

MCMXC
ZODIAQUE
la nuit des temps

PRÉFACE

Des régions qui nous restent à évoquer, en cette anthologie de l'Italie romane entreprise depuis douze ans déjà, deux sont, à juste titre, des plus célèbres : la Vénétie et le Latium; les autres, par contre, sont trop peu connues : les Abruzzes et la Molise d'une part, les Marches de l'autre.

Et pourtant que de merveilles à découvrir dans ces terres qui longent l'Adriatique! Les paysages d'abord : n'oublions pas que le Gran Sasso d'Italia, qui domine l'Aquila au cœur des Abruzzes, dépasse 2.900 m, et la variété des sites est extrême qui associent la montagne, voire la haute Montagne, à la mer.

Et puis, il y a les monuments et l'art roman a caché là certains de ses trésors, que ce livre voudrait faire connaître.

Au programme habituel des ouvrages de cette collection, l'auteur a eu l'excellente initiative de joindre un inventaire des témoins de l'époque romane ou des œuvres qui, bien que plus tardives, révèlent une permanence de formes antérieures : c'est le privilège des lieux écartés, isolés, que de rester à l'abri des fluctuations du goût qui ont, trop souvent, causé des pertes irréparables.

En ces régions que Dieu a parées de splendeurs naturelles incomparables, l'homme roman a voulu joindre sa voix à la grande louange muette de la création matérielle. Des pierres extraites du sol, il a dressé ces monuments qui, huit siècles écoulés, incitent toujours à la prière, à l'adoration, à l'action de grâces.

Nos remerciements au Dr Aleardo Rubini pour ses précieuses indications, à la Bibliothèque provinciale de l'Aquila et aux nombreuses bibliothèques municipales pour l'aide qu'elles nous ont apportée.

NOTE

Les planches en noir et blanc de cet ouvrage, comme du reste toutes celles des livres de cette collection et la quasi-totalité de ceux de notre édition, ont été réalisées en héliogravure.

Cette technique, seule, permet d'atteindre à une telle intensité et profondeur des noirs, à un tel rendu des ombres et des lumières, à une restitution aussi parfaite du grain de la pierre, du relief des masses.

C'est pourquoi, en dépit de son coût relativement élevé, nous lui restons fidèles, bien qu'elle soit peu à peu abandonnée par presque tous les éditeurs d'art.

Nous nous permettons de signaler le fait à nos lecteurs. L'héliogravure à feuilles, sauf miracle, semble condamnée à plus ou moins brève échéance. Il nous semble inadmissible que cela puisse se produire dans l'indifférence générale. La qualité devrait l'emporter sur toute autre considération et la disparition d'une telle technique d'impression représenterait une perte irréparable.

Nous tenons à remercier les imprimeurs qui, par amour de leur métier, résistent courageusement aux engouements de la mode et aux facilités tentantes de ce que l'on présente comme progrès.

TABLE

Introduction

Abruzzes

Molise

L'ART ROMAN DANS LES ABRUZZES ET LA MOLISE

La première série d'études consacrées au roman dans les Abruzzes paraît entre la fin du XIXe siècle et la deuxième décennie du XXe, en lien avec la découverte, survenue en ces années-là, des richesses artistiques et historiques de la région. C'est de cette période que date la naissance de revues et de périodiques consacrés à l'art et à l'histoire des Abruzzes, telles les «Revue abruzzaine de l'histoire de l'art» (Sulmona 1897-1900); «Revue d'art des Abruzzes et de la Molise» (Rome, puis Teramo 1912-1915); «Revue abruzzaine des sciences, lettres et art» (Teramo 1886-1919); tandis que voient le jour des recherches de caractère bibliographique dues à des chercheurs locaux passionnés : Bindi, Pensa, Balzano, Piccirilli, qui donnent l'élan à une tradition destinée à se poursuivre au cours des décennies suivantes avec les ouvrages de Chierici («Essai de bibliographie pour l'histoire des arts figuratifs dans les Abruzzes» 1947), d'Aurini («Dictionnaire bibliographique» 1952-1976, inachevé) et de Fucinese («Art et archéologie dans les Abruzzes. Bibliographie» 1977).

Les mêmes auteurs locaux cités plus haut offrent en outre les premières contributions valables à l'étude de l'art dans les Abruzzes, par le moyen de publications qui sont surtout le fruit de consciencieuses recherches dans les archives.

Parmi ces dernières, rappelons les «Monuments historiques artistiques des Abruzzes» (1889) dus à Bindi, particulièrement remarquables par l'ampleur des sujets traités.

Ultérieurement sont publiés des textes de caractère général par les soins d'auteurs spécialisés du Sud de l'Italie, comme Bertaux («L'art dans l'Italie méridionale de la fin de l'empire romain à la conquête de Charles d'Anjou» 1904) et surtout Gavini («Histoire de l'architecture dans les Abruzzes» 1927-1928) qui nous offre sur l'architecture abruzzaine une étude encore considérée comme fondamentale, pour la précision et le caractère exhaustif de la recherche.

Mises à part les limites que l'on peut y relever aujourd'hui, comme la classification des œuvres par «écoles» actuellement dépassée, cette œuvre présente le panorama le plus sérieux et le plus exact des édifices élevés entre le haut Moyen Age et la Renaissance, en l'état où ils se trouvaient dans les années 20.

Les années plus proches de nous ont vu surtout paraître des études monographiques, mais il s'est trouvé aussi d'autres auteurs pour continuer la tradition de la recherche de caractère général.

Nous faisons en particulier allusion à Moretti qui en 1971 a publié son «Architecture médiévale dans les Abruzzes» : cette œuvre, bien construite et d'un grand intérêt mais souvent imprécise et non dépourvue d'erreurs, a été menée parallèlement à son activité de surintendant aux restaurations qui ici ou là s'est révélée discutable (dans certaines interventions, il a entrepris la démolition et la reconstruction intégrale des parties originelles des édifices, faussant l'ensemble par des adjonctions «dans le style»).

L'un des aspects principaux de l'art roman dans les Abruzzes et la Molise est celui de son ouverture à une multiplicité d'influences (lombarde, apulienne, bourguignonne, campanienne), toujours ramenées et subordonnées à la sensibilité et à la technique locales.

On peut donc parler des Abruzzes-Molise comme d'une région culturellement très vivante et capable de mettre en œuvre de façon originale un vaste courant de motifs artistiques, en triomphant de la vieille réputation d'isolement largement démentie par les faits.

En effet la région est caractérisée depuis le haut Moyen Age par un bon réseau routier, ancré sur la route côtière extrêmement fréquentée menant vers ce grand «pont» pour l'Orient qu'étaient jadis les Pouilles. A partir de cette voie il n'était vraiment pas difficile de gagner l'arrière-pays montagneux, en suivant fidèlement le tracé des nombreuses vallées des fleuves.

D'autres vallées, comme celles de l'Aterno, du Volturno, du Velino, constituaient un lien avec l'Italie centrale, tandis que les drailles de transhumance se rattachaient aux pâtures du midi.

Le premier grand élan donné à la construction d'édifices religieux se situe dans la région après la conversion au christianisme des Lombards, parvenus dans les Abruzzes en 568, et se poursuit pendant toute la période carolingienne. Les églises étaient généralement fondées à l'emplacement de temples païens préexistants, en raison soit de la possibilité d'y récupérer divers matériaux de construction, soit du désir de rendre symboliquement visible la supériorité du monde chrétien sur le monde païen. Ainsi furent construits, entre autres, San Giovanni in Venere (VIIIe siècle) sur un temple dédié à Vénus Conciliatrice, Saint-Clément de Casauria (IXe siècle) (pl. 1 à 13) probablement sur un édifice dédié à Jupiter, et la cathédrale de Penne (IXe siècle) sur un temple de Vesta préexistant.

Des constructions antérieures à l'an mil il ne nous reste malheureusement que peu de témoins : la précieuse crypte de la basilique de Casauria (pl. 13); quelques portions d'édifices englobées dans des constructions postérieures (Santa Maria a Vico); et de nombreux fragments réutilisés, comme des colonnes et des chapiteaux classiques, ou des pierres et des bas-reliefs au décor classique d'entrelacs.

Les raisons d'un tel état de choses se trouvent dans les fréquents tremblements de terre mais surtout dans les désastreuses dévastations des Sarrasins, en particulier celles de 881 et 920, extrêmement sévères.

Au XIe siècle commence une nouvelle phase de l'histoire de l'architecture abruzzaine qui coïncide avec un réveil artistique général attribuable surtout à l'activité de l'ordre bénédictin. Dès les alentours de l'an mil, les deux grands ensembles monastiques du Mont-Cassin et de Saint-Vincent au Vulturne étaient devenus les lieux de convergence d'artistes d'origines diverses et les centres catalyseurs de toutes les tendances les plus vivantes; mais c'est surtout dans la phase de reconstruction des abbayes détruites ainsi que de récupération et de promotion de nouveaux centres religieux que les communautés bénédictines deviennent des centres dynamiques de la recherche et de la réalisation architecturales, sous l'influence des nouveautés de provenance lombarde, incitées à se mesurer avec l'héritage du passé et stimulées par de nouvelles exigences pratiques et spirituelles.

On peut distinguer dans cette recherche divers types de construction qui, tout en appartenant à un même climat culturel, assimilent différemment les divers apports artistiques provenant de l'extérieur.

Parmi les premières et les meilleures réalisations de l'art roman dans les Abruzzes, se distinguent certains édifices qui jouent très rapidement le rôle de prototypes et ont en commun une série d'éléments stylistiques et structurels.

L'église San Liberatore alla Maiella est en ce sens la plus représentative par son aspect monumental et par l'unité qui la caractérise (pl. 55 à 61).

Tous ces édifices présentent un plan basilical à trois nefs, avec une ou trois absides semi-circulaires, et sont bâties de blocs de pierre équarrie (souvent limitée aux arcs et aux piliers à l'intérieur). La façade principale est à rampants interrompus avec une ou trois entrées correspondant aux nefs; les portails ont des piédroits, un linteau et une archivolte au nu du mur et de la même largeur. La face externe est lisse, souvent rythmée de lésènes et enrichie d'un couronnement d'arceaux, tandis que l'intérieur, couvert d'une charpente apparente, a pour supports des piliers carrés maçonnés (parfois des colonnes de remploi), souvent sans base et avec une imposte de faible hauteur en guise de chapiteau. Dans cette catégorie mentionnons, outre San Liberatore alla Maiella citée plus haut, les églises de San Pietro ad Oratorium, et de Santa Maria Assunta à Bominaco (pl. 79 à 89), la cathédrale de Forcona (aujourd'hui à l'état de ruine), la cathédrale de Valva et l'église de Santa Maria in Valle Porclaneta (cette dernière avec une abside polygonale refaite au XIIIe siècle [pl. 39 à 54]), à leur suite San Pietro ad Albe (pl. 27 à 38), Santa Maria di Cartignano (avec la particularité d'un clocher-mur au centre) et San Clemente al Vomano (XIIe siècle), ce dernier avec des colonnes en brique, et enfin la plus tardive San Tommaso a Caramanico (du début du XIIIe siècle).

Dans la zone au Nord de Pescara s'élèvent vers le milieu du XIIe siècle quelques églises bénédictines conformes pour la plupart aux modèles lombards, en particulier par l'emploi de la brique au lieu de la pierre. Les briques d'argile apparentes servent dans ce cas tant aux murs animés à l'extérieur par des colonnettes, des lésènes et des arceaux de type lombard, qu'aux colonnes intérieures, surmontées de chapiteaux simples en pierre. Des exemples de cette catégorie sont fournis par Sant'Angelo a Pianella, Santa Maria del Lago à Moscufo (pl. 62 à 78) et Santa Maria delle Grazie à Civitaquana.

A la même époque, quelques édifices, comme San Clemente a Casauria (pl. 1 à 13), San Giovanni in Venere, ou la cathédrale de Termoli (pl. 109 à 115) font voir qu'ils ont accueilli des motifs architecturaux et sculpturaux provenant d'au-delà des Alpes, surtout de Bourgogne : voussures et bandeaux à motif répété, corniches sur modillons en quart de cercle, griffes d'angle, chapiteaux ornés de feuilles à crochets, se combinent à une structure architecturale de type local, donnant naissance à des solutions extrêmement originales. L'espace intérieur gagne en outre un plus grand élan vertical grâce aux arcs qui deviennent légèrement brisés et aux voûtes d'arêtes renflées du sanctuaire.

Un autre type qui se répand aussi est celui des églises d'ascendance apulienne, caractérisées par une frise d'arcs aveugles qui enserre extérieurement le corps basilical. En particulier dans le cas de Santa Maria di Ronzano (pl. 98), les absides sont «cachées» extérieurement par un mur plat, selon le goût pour le caractère massif propre à l'architecture orientale.

En raison de la proximité géographique, l'influence des Pouilles est particulièrement marquée dans la Molise, comme en témoignent Santa Maria della Strada, San Nicola a Guglionesi et la cathédrale de Termoli (pl. 109 à 115) elle-même, déjà mentionnée.

Au XIIe siècle commencent à se répandre également dans les Abruzzes et la Molise des motifs propres au style gothique, mais la tradition romane est encore forte et demeurera longtemps : pensons seulement au grand nombre de portails romans en plein cintre qui continueront à orner les édifices des XIVe et XVe siècles. La persistance du roman dans la région est confirmée par la série d'églises du type de L'Aquila, surgies simultanément après la fondation de L'Aquila en 1254. Dans ces édifices, en effet, l'influence gothique reste superficielle et ne porte pas atteinte au caractère traditionnel des structures. Ainsi se dessine le modèle dit «de L'Aquila» (dont Santa Maria di Collemaggio est l'exemple le plus représentatif) avec ses éléments propres : couronnement horizontal de la façade, ouverture de grandes roses; préférence pour les structures polygonales (absides, clochers, piliers); présence de supports fasciculés à base circulaire au sanctuaire; usage du travertin local.

Un caractère plus nettement gothicisant marque par contre certains types de constructions, comme les oratoires à l'usage des moines et les cloîtres.

Les premiers sont surtout répandus dans la zone de Fossa (Santa Maria ad Cryptas, couvent du Saint-Esprit, San Pellegrino a Bominaco (pl. 90 à 97)) et se présentent comme de petites églises à nef unique, couvertes d'une voûte en berceau brisé et entièrement fresquées : les peintures ont une fonction didactique et traitent de thèmes bibliques, évangéliques, hagiographiques.

Les seconds attestent l'influence croissante des modèles cisterciens et sont caractérisés par des supports à fûts polygonaux aux chapiteaux revêtus de feuilles épaisses arrondies aux angles jusqu'à former une sphère. Ainsi les cloîtres des couvents de Saint-Bernardin ou de la Bienheureuse Antonia à L'Aquila, de Sant'Angelo d'Ocre près de Fossa et de Sant'Antonio à Civitaretenga.

Méritent un chapitre à part les cryptes, souvent antérieures aux édifices qui les surmontent et dotées de caractères particuliers.

L'exemple reconnu comme le plus ancien de la région considérée est celui de San Clemente a Casauria (deuxième moitié du IXe siècle) (pl. 13) qui présente incontestablement des caractères d'archaïcité tant par le type de matériau utilisé (pierre et mortier, supports classiques remployés combinés de façon disparate) que par le niveau extrêmement bas du plafond, réparti en dix-huit voûtes d'arêtes de dimensions diverses.

La crypte de Casauria représente le type le plus répandu dans la région, et dit «ad oratorio» : à voûtes d'arêtes, une ou trois absides et des tronçons de banquette le long des murs.

Ce type se retrouve toujours plus soigné dans les éléments de la cathédrale de Penne (Xe siècle) où apparaissent le profil caractéristique des intrados d'arc, de San Giovanni in Venere (débuts du XIe siècle), réutilisant de précieuses colonnes en marbre cipolin et de San Panfilo a Sulmona (fin du XIe siècle), la plus spacieuse et la plus soignée de tout le groupe. Au modèle «ad oratorio» se rattachent, entre autres, les cryptes de la cathédrale de Trivento (XIe siècle), de celle de Forcona (XIe-XIIe siècles), de Sant'Eusanio Forconese (XIIe siècle), de San Giovanni ad Insulam (XIIe-XIIIe siècles) et de San Giustino a Paganica (XIIe siècle).

Ayant été pour la plupart construites par les bénédictins, les églises romanes des Abruzzes se trouvent généralement dans un site isolé : dans les vallées des fleuves, sur les collines les plus fertiles, au voisinage de drailles ou de routes importantes. Elles constituent ainsi un élément d'un relief particulier dans le paysage auquel elles appartiennent et où elles s'insèrent avec un naturel et une discrétion remarquables, entretenant avec le milieu où elles sont nées un rapport heureux et harmonieux.

Leurs dimensions sont le plus souvent modestes (10 à 15 m de large et 25 à 30 m de long), et parfois seulement elles présentent un caractère plus monumental (20 m de large et 40 à 50 m de long).

L'intérêt des constructeurs est tourné vers la réalisation d'organismes simples, qui reflètent à l'extérieur l'agencement de l'espace intérieur, ce qui évite les complications techniques.

De même, dans l'utilisation des matériaux il n'y a pas de recherche : on emploie presque toujours la pierre de taille locale (équarrie ou brute), laissée apparente et mise en œuvre avec un grand soin pour donner aux volumes un aspect compact, ne craignant pas d'y encastrer des éléments récupérés sur des constructions antérieures. On n'y trouve donc pas d'ornementation pesante mais on lui préfère de sobres soulignements (pilastres, demi-colonnes, arceaux), gardant un constant équilibre entre les éléments verticaux et horizontaux.

Le décor concerne surtout les portails où le long des piédroits, des linteaux et des archivoltes se déploient des motifs de rinceaux végétaux (plus rarement habités), et les fenêtres qui révèlent souvent la présence d'influences extérieures à la province, en provenance de la Campanie (grappe de fleurs et de fruits), des Pouilles (grandes fenêtres avec lions stylophores) et du monde islamo-sicilien (géométrie polychrome).

Par contre un motif purement local est celui de la «rose abruzzaine», formée de vigoureux pétales disposés en étoile que l'on retrouve souvent sous les arceaux, sur les portails et sur les garde-corps des chaires.

Quant aux espaces intérieurs, notons qu'ils sont immédiatement perceptibles par l'observateur, étant clairement définis et délimités dans leur répartition en trois nefs, où la série des supports en perspective conduit le regard jusqu'à l'espace recueilli et clos de la zone absidale.

Cette perception se trouve encore facilitée par la lumière qui, à travers les fenêtres percées dans les absides et les parties hautes de la nef centrale, ou par la rose de la façade, se déverse surtout dans la nef, laissant les collatéraux dans la pénombre.

A l'intérieur aussi le décor est extrêmement réduit, avec un petit nombre de fresques et des sculptures limitées aux chapiteaux et aux chaires, ce qui constitue une tradition propre à cette région dont nous traiterons plus loin.

Les murs au-dessus des arcades restent lisses, parfois marqués vers le milieu par une corniche simple; les chapiteaux en pierre sont cubiques avec des faces semi-circulaires, ou bien à moulures ou en tronc de pyramide, ou encore à corbeille revêtue d'éléments végétaux, géométriques, zoomorphes.

Une autre particularité du roman abruzzain tient au fait que les édifices sont pour la plupart séparés des bâtiments monastiques qui les entourent : même les clochers, de base carrée, sont presque toujours détachés du corps de l'église à l'origine.

Les seules exceptions à cette règle se trouvent dans les églises de San Vito à Valle Castellana, au clocher adossé à la façade, et de Santa Maria di Cartignano à Bussi sul Tirino, qui avec l'église délabrée de San Nicola à Pescosansonesco constitue le seul exemple originel dans les Abruzzes d'édifice à clocher-mur central.

L'intégration du clocher au plan de l'église et les nombreux clochers-murs que nous trouvons fréquemment sur les édifices sont en effet considérés comme dus à des aménagements postérieurs.

Dans ce cadre général, des caractères particuliers distinguent le groupe des églises de Molise qui se différencient par certains éléments décoratifs et structuraux.

Il faut avant tout signaler la différence des proportions qui fait que les églises de Molise paraissent plus basses, avec une façade un peu écrasée. Cet effet est dû principalement au caractère monumental de l'unique portail central, presque toujours surmonté d'un tympan et d'un avant-corps richement décorés.

Ce décor sculpté se caractérise par un relief plutôt faible, au dessin parfois laborieux mais toujours d'une remarquable vivacité d'expression. Les thèmes qu'on y trouve sont narratifs ou symboliques, avec des figures humaines et animales sans points d'attache dans l'espace, et des éléments végétaux et animaux d'une fantaisie exubérante.

Un motif typique de la région est le bœuf, sans doute en référence à la légende locale du mythique roi Bove, qui constitue l'explication populaire de la présence d'un si grand nombre d'églises sur le territoire de la Molise (selon la tradition, le roi symbole de la bestialité humaine aurait obtenu de Dieu d'épouser sa sœur dont il était épris si seulement il réussissait à construire cent églises en une nuit; entreprise qu'il ne put mener à terme, s'étant évanoui après avoir construit la quatre-vingt-dix-neuvième). Une autre particularité de l'architecture romane en Molise vient des éléments en saillie (porche, absides, etc.) peu prononcés, comme s'ils n'avaient pas eu la force de se dégager de la masse murale.

La même impression de lourde robustesse est perceptible à l'intérieur, où les supports paraissent très vigoureux et très volumineux par rapport aux dimensions de l'espace.

Nous avons déjà souligné comment la sculpture des Abruzzes et de la Molise de la période étudiée établit avec l'architecture un rapport de subordination ayant pour but de mettre en évidence et d'enrichir certains éléments structuraux plutôt que de s'imposer comme objet indépendant avec sa signification propre.

D'autre part l'œuvre plastique remplit un rôle fondamental, précisément parce qu'on lui demande de valoriser des éléments architecturaux extrêmement simples et de leur donner un caractère. Les divers chantiers deviennent ainsi les points de rencontre de tailleurs de pierre et d'artisans ayant chacun leur expérience, formant des lieux d'échange culturel pour les maîtres et un banc d'essai pour leurs jeunes élèves. Un tel brassage d'équipes entraîne la diffusion et la fusion de motifs décoratifs nés sur un chantier particulier : ainsi celui de la corniche composé d'éléments classiques (oves, denticules, torsades, etc.) créés à San Liberatore alla Maiella (pl. 58), ou les arceaux avec métopes et modillons décorés intérieurement typiques de la cathédrale de Valva (pl. 17), ou encore les chapiteaux à feuilles de palmier avec un petit arbre au centre (pl. 2) et les frises de palmettes (pl. 2, 4 et 6) issues de Casauria.

On identifie par ailleurs quelques maîtres qui ont signé leurs œuvres et sont facilement reconnaissables à certains caractères techniques et stylistiques :

– le maître Nicolas, à l'œuvre à Santa Maria in Valle Porclaneta vers 1080, identifiable par la technique «à retaille»;

– les maîtres Roger, Robert et Nicodème à l'œuvre dans la deuxième moitié du XIIe siècle, et qui affectionnent une sculpture exubérante et des motifs d'origine orientale, comme on peut le voir sur le ciborium de San Clemente al Vomano, sur le ciborium et la chaire de Santa Maria in Valle Porclaneta (pl. 45 à 49), sur les chaires de San Stefano a Cugnoli et de Santa Maria del Lago à Moscufo (pl. 68 à 72);

– le maître Acutus, à l'œuvre vers la fin du XIIe siècle, qui a sculpté, avec son décor caractéristique de feuilles dentelées en disposition rayonnante, la rose, le portail et la chaire de Sant'Angelo a Pianella, le portail de l'église San Salvatore a Paterno (actuellement dans l'église Santa Maria del Carmine à Celano), les piédroits et le linteau d'un portail à San Bartolomeo di Carpineto della Nora et le linteau d'une entrée latérale à Santa Maria delle Grazie à Coppito.

Enfin une tradition purement locale est celle des chaires parmi lesquelles le plus ancien des exemplaires connus est conservé dans l'église Santa Maria in Cellis. La chaire, attribuée au XIIe siècle, se compose d'un caisson de plan semi-circulaire, décoré de petits pilastres et de rinceaux, qui repose sur des colonnes toscanes et auquel on accède par un petit escalier avec rampe ; un aigle stylisé, symbole de saint Jean l'Évangéliste, se trouve au dos du pupitre.

Des panneaux de section semi-circulaire venant d'une chaire encore plus ancienne (IXe siècle) sont encastrés dans la collégiale San Michele à Citta Sant'Angelo.

Vers le milieu du XIIe siècle, le modèle de chaire à base semi-circulaire fut supplanté par le modèle à caisson carré dont on connaît deux variantes :

– le type posé sur des arcs (des maîtres Roger, Robert et Nicodème), décoré d'un entrelacs serré de végétaux et de personnages sculptés polychromes, dont nous avons des exemples à Santa Maria in Valle Porclaneta (1150) (pl. 45 à 49), à Santa Maria del Lago (1159) (pl. 68 à 72) et à Santo Stefano di Cugnoli (1166) ;

– le type posé sur des linteaux, au décor de rinceaux, de grandes fleurs abruzzaines sur les panneaux (plus rarement figuratifs) et avec les quatre symboles habituels des évangélistes sur les pupitres, dont nous avons des exemples à San Pelino de Corfinio (cathédrale de Valva) (datée de 1168-1178) (pl. 22), à Santa Maria Assunta à Bominaco (datée de 1180) (pl. 87 et 88), à San Clemente a Casauria (vers 1180) (pl. 11), à San Liberatore alla Maiella (vers 1180) (pl. 60 et 61), à Santa Giusta à Bazzano (après 1180), à Sant'Angelo di Pianella (vers 1180-1182) et à Prata d'Ansidonia (1240).

Les exemplaires de San Nicola à Corcumello (1267) et de San Pietro à Rocca di Botte (1263), tous deux revêtus d'un décor cosmatesque, attestent la persistance de ce modèle.

A la différence de ce qui s'est produit pour la sculpture, l'œuvre picturale abruzzaine des XIe-XIIe siècles semble principalement dépendante des réalisations d'un milieu extérieur à la région, en particulier campanien ou cassinais.

On assiste en général à une assimilation de schémas iconographiques et typologiques élaborés ailleurs, et la saveur locale se manifeste surtout dans l'accentuation des contrastes de couleur, dans une certaine absence de relief et dans la plus grande dureté des lignes, comme c'est le cas pour les fresques absidales de San Pietro ad Oratorium et de Sant'Angelo a Pianella.

Au XIIIe siècle, si d'un certain côté se poursuit et se confirme cette tendance (Santa Maria del Lago) (pl. 76 et 77), de l'autre, comme c'était déjà manifeste dans les fresques de Santa Maria di Ronzano (1181?) (pl. 105 à 108 et pl. coul. p. 206, 207, 217 et 251), on observe l'incidence de modèles empruntés aux réalisations picturales d'au-delà des Alpes, en particulier aux manuscrits enluminés qui apportent une sève nouvelle au cep de la tradition locale.

Dans la deuxième moitié du XIIIe siècle sont exécutés les grands cycles de San Pellegrino à Bominaco (pl. 94 à 97) et de Santa Maria ad Cryptas qui constituent les meilleures réalisations de l'art pictural dans les Abruzzes : à la vivacité nouvelle de la palette se joint en effet en ce cas un goût pour les détails de caractère quotidien et surtout une spontanéité expressive des mouvements qui nous semble l'aspect le plus original de ces œuvres.

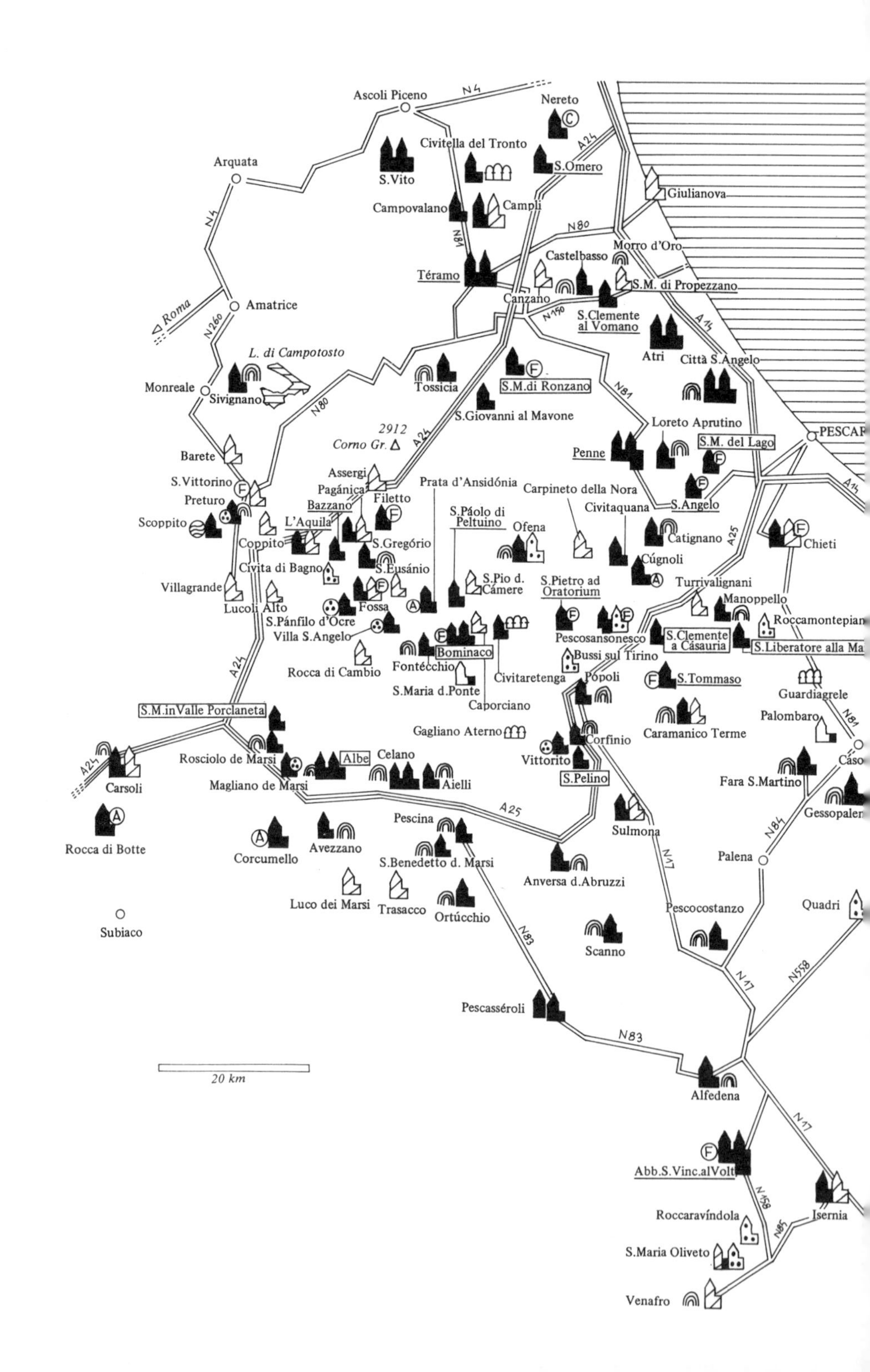

Ascoli Piceno
N4
Nereto
Civitella del Tronto
S.Vito
Arquata
S.Omero
A14
Giulianova
Campovalano
Campli
N80
N81
Morro d'Oro
Castelbasso
Téramo
S.M. di Propezzano
Canzano
N150
S.Clemente al Vomano
Roma
Amatrice
N260
A14
Atri
Città S.Angelo
L. di Campotosto
Tossicia
S.M.di Ronzano
Monreale
Sivignano
N80
S.Giovanni al Mavone
N81
Loreto Aprutino
2912
Corno Gr.
A24
Penne
S.M. del Lago
PESCAR
Barete
Assergi
S.Vittorino
Paganica
Prata d'Ansidónia
Carpineto della Nora
Preturo
Filetto
S.Angelo
Bazzano
S.Páolo di Peltuino
Civitaquana
Scoppito
L'Aquila
Ofena
Coppito
S.Gregório
Catignano
A25
Chieti
Civita di Bagno
S.Eusánio
Cúgnoli
Villagrande
S.Pio d. Cámere
S.Pietro ad Oratorium
Turrivalignani
Lucoli
Alto
Fossa
Manoppello
S.Pánfilo d'Ocre
Roccamontepian
Villa S.Angelo
Pescosansonesco
S.Clemente a Cásauria
S.Liberatore alla Ma
Bominaco
Bussi sul Tirino
Rocca di Cambio
Fontécchio
S.Tommaso
Civitaretenga
Pópoli
Guardiagrele
S.Maria d.Ponte
Caporciano
A24
S.M.in Valle Porclaneta
Palombaro
Gagliano Aterno
Corfinio
Caramanico Terme
N81
Celano
Vittorito
Rosciolo de Marsi
Albe
Casol
A24
Aielli
S.Pelino
Carsoli
Magliano de Marsi
Fara S.Martino
Gessopalen
A25
Pescina
Sulmona
N84
Rocca di Botte
Avezzano
N17
Corcumello
S.Benedetto d. Marsi
Palena
Anversa d.Abruzzi
Luco dei Marsi
Trasacco
Quadri
Ortúcchio
Pescocostanzo
Subiaco
N83
Scanno
N17
N558
Pescasséroli
N83
20 km
Alfedena
N17
Abb.S.Vinc.alVolt
N158
Isernia
Roccaravíndola
N85
S.Maria Oliveto
Venafro

ABRUZZES MOLISE
ROMANS

Ortona
ADRIATIQUE
S.Giovanni in Venere
ciano
A14
Vasto
Atessa
Térmoli
Petacciato
Campomarino
Guglionesi
S.Maria di Canneto
Castiglione
Guardialfiera
N87
Trivento
Larino
one
S. Croce di Magliano
agnoli del Trigno
Limosano
Petrella Tifernina
S.Giuliano di Púglia
N87
S.Pietro
Castropignano
S.Maria della Strada
CAMPOBASSO
L. di Occhito
Casalciprano
petroso
Ferrazzano
N117
Boiano
Badia d.Monteverde
Riccia

encadré ----- a une grande notice
souligné ----- a une petite notice
----- localité ayant une église romane
----- localité ayant plusieurs église romanes
----- église en partie romane
----- abside romane
----- crypte romane
----- église romane en ruines
----- clocher roman
----- portail roman
----- cloître roman
(C) ----- chapiteaux romans
----- bénitier roman
(F) ----- fresques romanes
----- fragments romains
(A) ----- ambon roman

ABRUZZES

NOTES SUR

QUELQUES ÉGLISES ROMANES DES ABRUZZES

1 *AQUILA (L'). SANTA-MARIA DE COLLEMAGGIO. HISTOIRE :* PLAcée à la périphérie de la vieille ville, au terme d'une grande avenue qui franchit les murs d'enceinte, la basilique Sainte-Marie de Collemaggio constitue un exemple illustre de l'école de L'Aquila aux XIIIe et XIVe siècles et une des œuvres les plus grandioses de l'architecture abruzzaine.

Élevée à partir de 1287 par la volonté de Pietro da Morrone qui y fut couronné pape en 1294 sous le nom de Célestin V, la basilique a subi au cours des siècles des destructions d'origine sismique et des restaurations, gardant de la structure romane originelle l'ossature du corps central à trois nefs avec piliers polygonaux et la base du donjon.

Vers le milieu du XIVe siècle probablement fut achevée la partie inférieure de la façade tandis que la partie supérieure a été attribuée par Moretti à la deuxième moitié du XVe siècle en raison d'une certaine discontinuité entre les deux zones.

On ne peut préciser l'époque de l'aménagement du chevet, plusieurs fois restauré, qui à l'origine «ne devait pas s'écarter beaucoup de ceux qui se retrouvent de façon constante à San Pietro Coppito, Santa Giusta, San Silvestro et San Flaviano» (Moretti), aux absides polygonales. Il y en avait cinq dans ce cas.

Après le tremblement de terre de 1703, la disposition spatiale originelle de la basilique fut faussée par une pesante intervention baroque que les restaurations des années 1972-1974 ont en grande partie éliminée, redégageant les piliers octogonaux avec les arcs brisés et démolissant le plafond du XVIIIe siècle qui masquait les roses de la façade.

Visite. Au-delà de la recherche d'une valeur monumentale, accentuée par le vaste espace qui la précède, l'architecture de l'édifice naît de la singulière rencontre entre les modes de construction propres à la ville et les apports du gothique flamboyant, dans une synthèse d'où émergent des valeurs picturales et graphiques sans rien enlever à la solidité romane des volumes.

Le plan à trois nefs est divisé par quatorze piliers polygonaux (auxquels s'ajoutent deux larges colonnes polystyles dans le transept) et se termine par trois absides rectangulaires dont celle du milieu est beaucoup plus longue que les latérales. Au côté droit de la façade s'adosse une tour basse octogonale, reste de l'ancien clocher.

La prédilection pour les formes polygonales est une donnée particulière de la «manière de L'Aquila» que nous pouvons constater dans d'autres églises de la ville (San Silvestro, San Pietro Coppito, Santa Giusta). La ressemblance avec ces édifices ne se limite pas aux formes mais concerne aussi la facture, les dimensions, les matériaux.

Les supports de l'intérieur (piliers, arcs) sont construits en blocs de travertin local, laissant la partie supérieure du mur en petit appareil. A l'extérieur la façade rectangulaire est entièrement revêtue de plaques de pierre calcaire blanche et rose, disposées géométriquement, qui contrastent avec la surface rugueuse du calcaire poreux de la tour.

Le revêtement bicolore de la façade, coupé

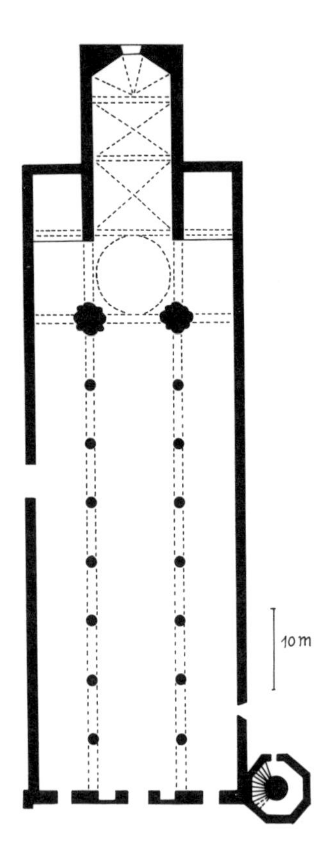

L'AQUILA

par une corniche horizontale, produit l'effet d'une trame de brocart dans laquelle sont découpées les ouvertures des trois entrées imposantes et des roses qui les surmontent.

Les portails, dont celui du milieu est le plus important par les dimensions et le décor, ont été datés par Moretti des années 1440 à 1450.

Les piédroits de l'entrée principale (aux précieux battants de bois de 1688) sont creusés, entre le socle et la moulure terminale, de deux séries de petites niches à gable à l'intérieur desquelles demeurent encore quelques statuettes. Le tympan, décoré d'une fresque du XVIIIe siècle, est entouré de quatre ressauts dont les voussures offrent divers motifs décoratifs : à spirale, à petites figures anthropomorphiques prises dans des rinceaux, à rangée d'anges.

Les portails latéraux présentent une plus grande simplicité d'ornementation : les piédroits et le tympan sont entourés de deux ressauts seulement où s'insèrent dans les angles des colonnettes lisses ou torsadées.

Il n'y a pas de différence substantielle entre les entrées de la façade et la «porte sainte» au flanc gauche de l'église. Constituée par trois ressauts cantonnés de colonnettes lisses, elle fut terminée avant 1397, comme l'atteste un document de cette année-là se rapportant au peintre qui orna d'une fresque le tympan, un certain Simone da Cocullo.

Au-dessus des portails de la façade principale, «s'épanouissent» trois roses d'une grande beauté par l'élégance et la clarté du dessin.

La rose centrale, d'un plus grand diamètre que les autres, a une allure presque gothique : d'un anneau central naissent deux couronnes de minuscules colonnettes torses reliées à des petits arcs trilobés à quille; le renfoncement du mur est marqué d'une corniche composée d'un tore sculpté de damiers et d'une moulure à feuillage.

La rose de gauche reprend, en le simplifiant, le motif des arcs à quille, tandis que celle de droite se montre encore attachée aux modèles romans.

Les jours des fenêtres à roue donnent naissance à de suggestifs effets de lumière à l'intérieur de la basilique, qui se déploie dans la solennelle procession des piliers vers le puits de lumière du sanctuaire. Le regard s'étend à travers les seize très grandes arcades brisées qui assurent une bonne circulation de la lumière venant des fenêtres ouvertes dans les nefs latérales.

Les piliers octogonaux ont de hautes bases à deux ressauts et se terminent par des moulures lisses. Les fortes poussées des voûtes dans la zone du sanctuaire sont cependant reçues par des supports polystyles à base ronde, qui constituent un autre élément très répandu dans les églises de L'Aquila (voyez Santa Giusta, San Silvestro).

Le pavement reprend le parement bicolore de la façade, simplifié en un damier de carrés blancs et roses.

La couverture des trois nefs est en charpente apparente; la croisée du transept, délimitée par trois arcades, présente une coupole centrale de l'époque baroque reconstruite après le tremblement de terre de 1958, tandis que la zone absidale est couverte de voûtes en croisée d'ogives.

Dans la longue abside centrale trouve place l'autel, éclairé par la grande fenêtre double ouverte dans le fond et précédé d'un bref escalier baroque.

Dans l'abside de droite se trouve le tombeau de saint Pierre-Célestin, œuvre de la Renaissance lombarde datée de 1517.

Fresques. Au cours de la dernière restauration ont été remises au jour des fresques des XVe-XVIe siècles; il s'agit de peintures inscrites dans des niches au cintre brisé le long des murs des nefs latérales et attribuées à trois écoles différentes : de Venise, de Toscane et des Marches, d'Ombrie et des Abruzzes.

2

BAZZANO. SANTA GIUSTA. HISTOIRE : SITUÉE AU-DESSOUS DU *mont Bazzano, où jadis se trouvait le «Vicus*

Ofidius» des Vestini, l'église rappelle l'endroit où Sainte Justa fut martyrisée et ensevelie, encore accessible aujourd'hui de la crypte sous la basilique.

La présence dès les temps anciens d'une chapelle élevée en l'honneur de la sainte au IIIe *siècle se trouve mentionnée dans le «Passionarium membranaceum» cité par Ughelli.*

Gavini a émis l'hypothèse de la naissance d'une véritable basilique au IXe *siècle, sur la base de fragments de mobilier de chœur remontant à cette époque et utilisés de façon diverse dans l'édifice actuel, datable du* XIIIe *siècle.*

Une autre raison de retenir cette hypothèse est que l'existence d'une église au IXe *siècle pourrait plus facilement expliquer l'emploi tardif de matériaux de l'époque classique dans la basilique du* XIIIe *siècle.*

L'église telle que nous la voyons aujourd'hui est le résultat de modifications radicales, effectuées en particulier au XVe *siècle où fut réaménagée la zone du sanctuaire et furent terminées les fresques murales.*

L'édifice a été restauré dans les années 20 du siècle en cours.

Visite. *Sur l'aspect primitif de la basilique il n'existe pas de documents, mais d'après les quelques structures originelles qui nous restent (parties de murs, certains supports de récupération et la façade principale) nous pouvons supposer que l'édifice se composait de trois nefs à grandes arcades en plein cintre.*

Aujourd'hui l'église présente seulement deux nefs et un réaménagement du sanctuaire qui semble avoir été avancé.

Un élément de grande beauté est constitué par la façade, d'aspect singulier, revêtue de blocs de pierre dorée et prise dans un réseau de colonnettes et de corniches horizontales sur modillons anthropomorphes : motif venu des Pouilles qui n'a pas son pareil dans la région tandis qu'on le retrouve dans l'église des Saints Vincent et Anastase à Ascoli Piceno.

Il reste un doute sur la terminaison originelle de la façade, incomplète dans la zone supérieure où prend appui un clocher-peigne.

A l'intérieur on accède par une seule entrée centrale, surmontée d'une fenêtre carrée et flanquée de deux petites roses.

Le portail est de type bénédictin, avec piédroits et linteau profondément sculptés de rinceaux; l'archivolte, sans décor, est portée par de petits lions accroupis. A l'extrémité de droite du linteau se trouve une inscription qui indique la date de réalisation :

AD
MCC
XXX
VIII
MESE
IUNII

se rapportant, selon Moretti, à la mise en place des éléments ornementaux.

Semblable à un coffret ciselé, la façade représente la composante unificatrice de l'édifice en même temps que son élément le plus significatif.

L'aspect de l'espace intérieur basilical est comme brisé par l'absence de la nef latérale de gauche et le déplacement du sanctuaire vers l'avant.

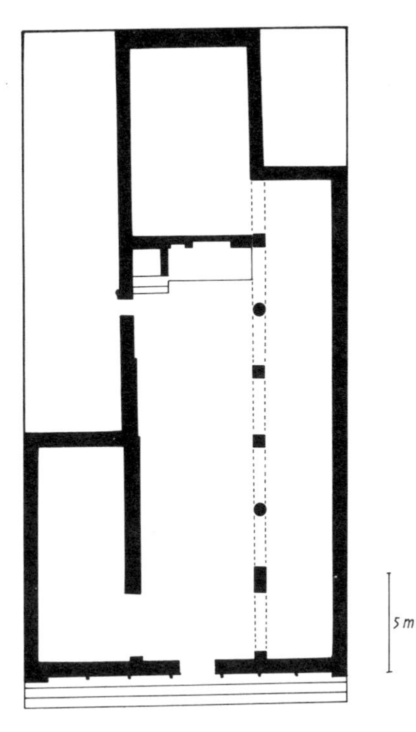

BAZZANO

L'effet de «collage» dû au large emploi des restes de constructions précédentes en accentue le caractère fragmentaire.

Des cinq supports, seuls le premier et le troisième, de section rectangulaire, ont été construits à la même époque que les arcs. Les autres représentent d'intéressantes pièces archéologiques tirées de monuments classiques : le second et le cinquième sont faits d'anciens fûts cannelés, surmontés de chapiteaux cubiques aux faces semi-circulaires, tandis que le quatrième est un exemple insolite de remploi d'une robuste section d'architrave, décorée de triglyphes et de métopes.

*Tout le mur de fond du sanctuaire et d'autres parties des murs sont couverts de fresques exécutées à des époques diverses (*XIIIe-XVe *siècles).*

*A gauche de l'autel l'*ambon *revêt une disposition ingénieuse qui lui confère une double fonction : de pupitre et d'entrée à la crypte.*

En se basant sur l'examen des trois panneaux qui restent, Moretti a estimé que l'œuvre peut être attribuée à une intervention des équipes de Casauria, de peu postérieure à 1180. A côté de la répétition scolaire de motifs nettement issus de Casauria, repris le long des bordures des panneaux, émerge une personnalité d'artiste d'une remarquable élévation, capable d'attribuer à l'Agnus Dei sur le lutrin central et aux symboles des évangélistes sur les

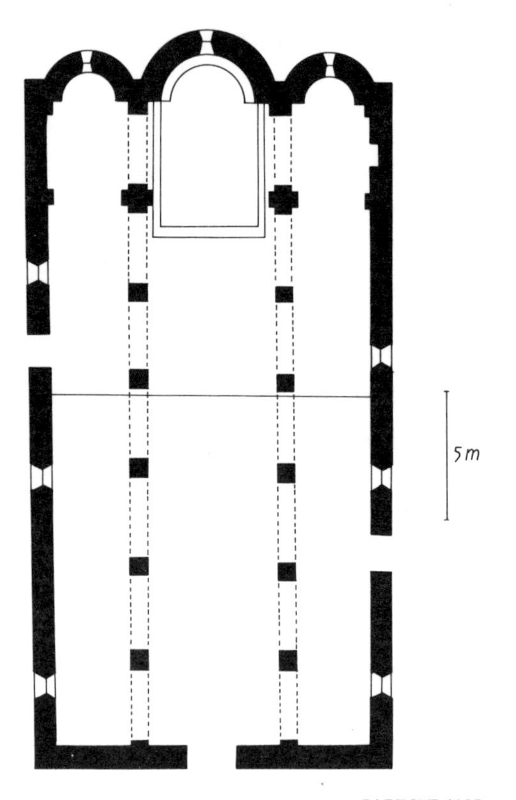

CAPESTRANO

panneaux latéraux une nouvelle vigueur plastique, rendue particulièrement évidente par l'espace étroit où ils se trouvent resserrés.

De la sacristie derrière l'autel est visible le dos de l'ambon incorporé dans le mur du fond et sculpté d'un bas-relief avec saint Georges terrassant le dragon.

Crypte. *Sous l'ambon s'ouvre un passage voûté par lequel on atteint la crypte que Moretti a estimée antérieure de quelques décennies à l'église supérieure (1180). Réalisée entièrement en blocs calcaires, avec adjonction de fragments classiques, elle se compose d'un espace rectangulaire divisé en quatre travées à voûtes d'arêtes retombant sur des pilastres adossés aux murs.*

Sous l'autel est placée la statue en bois de sainte Justa, œuvre précieuse du XIVe siècle.

De la crypte, par deux arcades sur la gauche, il est possible d'accéder à la grotte du IIIe siècle où, selon la tradition, aurait eu lieu le martyre de la sainte.

3 *CAPESTRANO. SAN PIETRO AD ORATORIUM. HISTOIRE :*

l'église Saint-Pierre ad Oratorium se dresse à l'écart dans la vallée parcourue par le Tirino.

La première mention de l'existence du monastère, dont l'église faisait partie, remonte à 752, date à laquelle la «Chronique vulturnienne» en confirme l'attribution aux bénédictins de Saint-Vincent au Vulturne par le pape Étienne II. Dans la même chronique on lit que Didier (roi des Lombards arrivé au pouvoir en 756) fonda le monastère et le donna aux moines de Saint-Vincent.

Les deux renseignements sont contradictoires, à moins que l'on ne considère Didier comme le «protecteur» plutôt que comme le «fondateur» du monastère.

Cette interprétation s'applique aussi à l'inscription au linteau du portail : A REGE DESIDERIO FUNDATA, MILLENO CENTENO RENOVATA.

Reconstruit à la fin du XIe siècle et probablement inauguré en 1100 comme l'atteste l'inscription, l'édifice est considéré comme une émanation directe du prototype qu'est San Liberatore alla Maiella qui lui est antérieur d'environ vingt ans : comme une interprétation à «échelle réduite» de cette architecture.

Le fait de la reconstruction se trouve confirmé par les éléments stylistiques et structurels de la basilique, qui a été remise au jour seulement au siècle en cours. En effet, pour des raisons de consolidation de l'édifice fondé sur un terrain instable, on avait dû, au cours des XIVe-XVe siècles, procéder à l'obturation des arcades des nefs, modifiant ainsi l'aspect originel.

Dans la suite, l'église subit d'autres travaux de restauration, comme l'atteste une plaque gravée encastrée près de l'abside : SUB DUCE ALFONSO ECLE PATRONO HIERONIMUS PETIUS RESTAURAVIT 1575.

La récente intervention a renforcé les supports et assaini les fondements, menacés d'infiltrations d'eau provenant du fleuve voisin, le Tirino. De l'ancien monastère tombé en décadence à une date imprécise, il ne reste que quelques vestiges de mur au niveau des fondations.

Visite. La dépendance par rapport au modèle offert par San Liberatore alla Maiella est évidente tant dans la structure formelle que dans le décor de Saint-Pierre ad Oratorium, même si, en ce qui concerne le caractère monumental du prototype, prévaut ici la nécessité d'une plus grande simplification.

C'est ce que suggère le plan de la basilique (légèrement raccourci vers l'abside) divisé en trois nefs terminées par autant d'absides semicirculaires, et dépourvu de clocher. Le matériau prédominant est la pierre, soit en blocs équarris, soit brute. Le revêtement originel en pierre de taille est visible dans la zone inférieure de la façade (jusqu'à la hauteur des nefs latérales) et dans le parement de l'abside centrale (les galets des absides secondaires ont été ajoutés en grande partie à la dernière restauration). A l'intérieur, les pierres équarries sont réservées exclusivement aux piliers et aux claveaux des arcs.

La façade est extrêmement simple : à rampants interrompus, elle est percée en son milieu d'une entrée unique et d'une petite fenêtre rectangulaire et haute.

Le décor de la façade est tout entier concentré sur les bas-reliefs du portail.

L'analogie avec les portails de San Liberatore est tout à fait évidente : schéma à deux piédroits surmontés d'un linteau et d'un arc de décharge.

Le décor de ce dernier (qui dépasse en largeur les piédroits) reprend la double rangée de «palmettes à panicule» déjà relevées sur les archivoltes de la basilique de Serramonacesca : pour cette raison Gavini les a considérées comme une preuve de l'intervention directe des équipes de San Liberatore.

Le même auteur attribue les piédroits de l'entrée aux vingt dernières années du XIIe siècle, du fait qu'ils présentent de fortes ressemblances avec la chaire de San Clemente a Casauria tant par la vigueur plastique de l'exécution que par les motifs décoratifs des chandeliers : l'un (à gauche) issu de la gueule d'un dragon pris dans des volutes d'acanthe épineuse, l'autre (à droite) dédoublé en deux pieds symétriques.

Cette configuration de rinceaux, simples sur le piédroit de gauche, doubles sur celui de droite, répond à une coutume ornementale courante dans les constructions bénédictines.

La fresque du tympan, très abîmée, devait représenter saint Pierre sur un trône.

Aux côtés du portail sont fixés deux bas-reliefs représentant David (à gauche) et saint Vincent diacre (à droite).

Nombreuses sont les pierres encastrées dans les murs de l'église : il s'agit du remploi de blocs de constructions romaines et de fragments de l'édifice précédent.

Parmi eux se trouvent des entrelacs de rubans attribuables au IXe siècle. Particulièrement intéressant est un bloc encastré à l'envers et gravé d'une phrase énigmatique, qu'on retrouve dans d'autres églises et qu'on peut lire dans tous les sens :

ROTAS
OPERA
TENET
AREPO
SATOR

Il s'agit probablement d'un exemple de jeux de mots répandus parmi les moines d'avant l'an mil.

Certains archéologues y ont par contre recherché une signification cachée dans la phrase (peut-être un anagramme des paroles PATER NOSTER).

Dans le flanc droit l'église présente une porte d'entrée secondaire flanquée de corbeaux sculptés de motifs classiques qui devaient recevoir une archivolte dont il ne reste pas trace.

Le recours à des éléments de l'âge classique est, dans ce cas encore, probablement dû à ce qui a été fait à San Liberatore alla Maiella.

La zone absidale est totalement dépourvue de décor, mais les fragments de corniche (conservés aujourd'hui au Musée national des Abruzzes) laissent supposer que les absides furent à l'origine marquées d'un couronnement d'arceaux sur modillons.

Les volumes semi-cylindriques de ces absides se détachent ainsi avec une extrême netteté sur le mur, étant à peine percés de très étroites fenêtres (une par abside).

L'intérieur est sévère, noyé dans une ombre qui s'épaissit dans les nefs latérales derrière l'écran d'arcs en plein cintre sur piliers.

Un faible éclairage descend des fenêtres ouvertes dans la nef centrale et de quelque petite fenêtre rectangulaire dans les nefs latérales, tandis que dans le sanctuaire la lumière filtre à grand peine à travers les fenêtres réduites des absides.

Les supports, six de chaque côté, sont de section carrée à l'exception des piles cruciformes du transept qui remontent à une intervention du XIIIe siècle en même temps que l'installation du ciborium. Les piliers, privés de base jusqu'à la cinquième arcade, présentent des chapiteaux traités comme des impostes, avec une moulure décorée d'éléments végétaux (feuilles, tiges, fleurs) et de quelque figure zoomorphe.

Gavini a souligné «l'effort pour styliser des formes étudiées d'après nature, mais dans l'ensemble une nature échevelée et en désordre» et a reconnu dans certains chapiteaux du côté droit, en particulier dans le cinquième où apparaît un élément décoratif à petites feuilles pliées symétriquement («la palmette droite»), un prélude à des motifs décoratifs du XIIe siècle.

Dans cet ensemble, nous retrouvons la même uniformité de concepts décoratifs que celle exprimée à San Liberatore à la Maiella et à Santa Maria in Valle Porclaneta. Les équipes encore inexpertes recouraient à une technique extrêmement simplifiée : creuser le contour du dessin jusqu'à obtenir un relief.

Unique note de couleur dans un ensemble essentiellement monochrome : la précieuse fresque absidale, jouant avant tout sur les tonalités chaudes de l'ocre. Exécutée dans la première moitié du XIIe siècle, l'œuvre constitue le cycle de fresques le plus ancien de la région.

Les thèmes iconographiques sont ceux qui figurent habituellement dans le répertoire figuratif médiéval, avec références aux miniatures des manuscrits : au-dessus des claveaux du grand arc est représenté le Christ en majesté entouré des quatre symboles des évangélistes et de deux séraphins; le long du départ de la voûte s'alignent les vingt-quatre vieillards de l'Apocalypse, tandis qu'à l'intérieur de l'abside sont figurés des saints sous une série d'arcs byzantins.

Le type de Christ dénote la formation méridionale de l'artiste, qui établit la composition

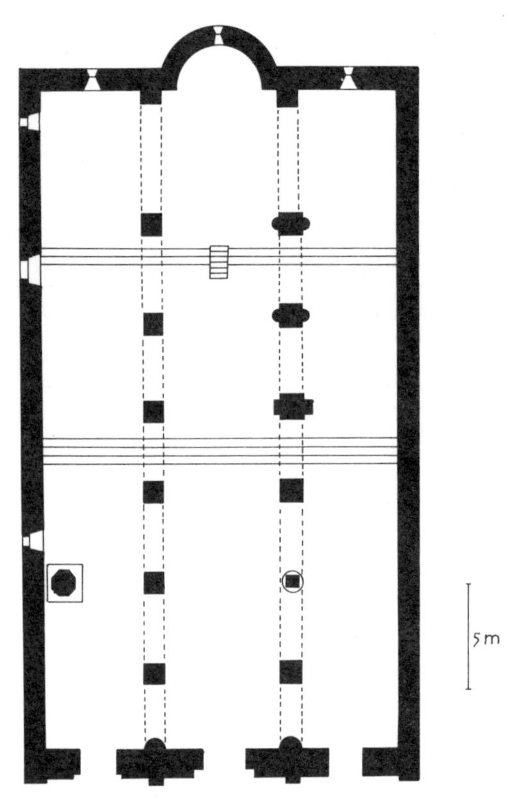

CARAMANICO

dans la rigueur du dessin, privé de recherche plastique et spatiale.

La sobriété générale de l'édifice s'applique aussi au pavement et à la couverture, constitués respectivement de dalles de pierre et de parties de bois apparentes.

Un escalier à la hauteur de la cinquième arcade délimite la zone du sanctuaire.

Le centre visuel de l'intérieur est l'autel, couronné d'un ciborium du XIIIe siècle.

Il s'agit d'une structure d'une légèreté inégalée, soutenue par quatre colonnes et quatre architraves sur lesquelles s'élèvent deux rangées de petits arcs entrelacés coiffés d'une petite coupole polygonale.

Pour compléter cette composition raffinée, s'insèrent entre les arcs des panneaux de majolique dans une gamme de teintes bleu turquoise.

4 CARAMANICO. SAINT-THOMAS. HISTOIRE : L'ÉGLISE SE DRESSE A

l'écart dans la vallée de l'Orta au cours tortueux, face au massif majestueux du Morrone.

La date figurant sur le linteau du portail de gauche (1202), qu'il faut rapporter à la fin des travaux, nous permet d'attribuer avec assurance la construction du monument aux années immédiatement antérieures.

La tradition selon laquelle l'édifice aurait été élevé sur les ruines d'un temple païen ne trouve aucune justification dans l'examen de l'œuvre.

Par contre est probable l'appartenance originelle de l'église aux bénédictins de Casauria comme l'a écrit Bindi : « S'il est vrai que les moines bénédictins de Casauria eurent des biens à San Tommaso, comme on sait qu'ils en eurent à Caramanico, on peut croire que la présente église a été magnifiquement construite par leurs soins en 1202 ».

L'édifice appartint ensuite aux Pères célestins jusqu'en 1806, année de la suppression des ordres religieux dans le royaume de Naples. L'époque du changement de propriété ne peut être précisée, mais Bindi a cité une note cadastrale de 1669, sur la base de laquelle nous pouvons affirmer que, à cette date, les terres de San Tommaso avaient déjà été cédées aux célestins.

En 1706 l'église fut dévastée par un violent tremblement de terre qui fut suivi d'une remise en état sous la direction de l'abbé célestin Giuseppe Bevilacqua.

Au siècle où nous sommes l'édifice a subi deux campagnes de restauration : en 1951 et entre 1968 et 1971, époque à laquelle ont été dégagées les demi-colonnes au revers de la façade et a été reconstruit le mur de droite de la basilique (celui de gauche avait déjà été refait antérieurement).

Le clocher n'est pas considéré comme faisant partie de l'édifice originel, ayant été ajouté au XVIIIe siècle.

Visite. *L'église Saint-Thomas, inévitablement altérée par les nombreuses restaurations, ne se distingue pas substantiellement du type des églises bénédictines tel qu'il s'était formé au cours du XIe siècle et révèle dans une partie de son intérieur certains éléments (un arc légèrement brisé, une section de corniche entre deux étages, etc.) qui attestent un essai de rénovation sous l'influence de Saint-Clément à Casauria tout proche.*

Le plan basilical est ponctué par sept arcades de chaque côté (celles du sanctuaire légèrement plus larges) dont les piliers le divisent en trois nefs. La nef centrale, à peine plus large que les latérales, se termine par une abside semi-circulaire.

L'appareil en blocs de pierre, qui revêt l'extérieur de l'édifice et les éléments portants de l'intérieur (arcs et piliers), confère à la construction un caractère massif, ferme et robuste.

La large façade à rampants interrompus est percée des lignes élégantes des trois portails et de la rose centrale, mais les ouvertures non identiques des deux petites fenêtres au-dessus des entrées secondaires rompent la symétrie de l'ensemble. Le parement de pierre qui va de la couleur noisette au gris foncé, est encore le parement originel, en dépit des remaniements qui ont touché surtout la zone supérieure, où il ne reste qu'un segment de la corniche d'arceaux qui soulignait les rampants du toit.

Aux côtés des portails de type bénédictin (piédroits, linteau et arc de décharge) demeurent quatre pilastres construits pour un porche jamais réalisé. Sur le linteau du portail de gauche est gravé la date de l'exécution et le nom de l'auteur de l'œuvre :

+ *VIRGINE VIRGO PERITQUE VIRGINE VIGO*
+ *SIN. MCCII MAGISTER BERARDO OC OP FIERI FECIT.*

Le portail central, plus grand et plus orné que les deux autres, présente un triple ressaut, des piédroits décorés de rinceaux fleuris et sinueux et un linteau sculpté en haut relief des grands personnages frontaux du Christ et des Apôtres. En dépit des manques de proportion, frappants surtout chez les Douze, l'auteur révèle qu'il est capable d'une exécution précise et soignée; ce n'est pas par hasard que Moretti a considéré cette sculpture comme « l'exemple le plus significatif de la représentation de la figure humaine que l'on trouve au début du XIIIe *siècle ». La belle sinopia qui décore le tympan est par contre une œuvre postérieure.*

Le motif des rinceaux fleuris et sinueux se retrouve sur le linteau des portails secondaires, privés de toute autre décoration, et le long de la bordure de la petite fenêtre qui surmonte l'entrée de droite.

Dans l'angle des rampants du toit s'ouvre une grande fenêtre à roue, formée d'un anneau central d'où partent dix colonnettes reliées par de petits arcs en plein cintre.

Au chevet de l'édifice, qui reprend la silhouette à rampants interrompus de la façade, se détache sur le mur de fond sans décor le demi-cylindre de l'abside d'une facture raffinée, renforcée par des demi-colonnes et percée en son milieu d'une fenêtre cruciforme d'origine, inscrite dans une bordure polygonale où se trouvent deux figures d'ange en haut relief.

La fermeté voulue qui caractérise l'extérieur de la basilique se retrouve de façon conséquente dans l'espace intérieur, rigoureusement divisé en trois par deux rangées de forts piliers carrés.

Les trois derniers supports de droite présentent des colonnes adossées pour recevoir une couverture voûtée qui n'existe plus aujourd'hui (supprimée par une restauration), et des arcs les relient, cette fois légèrement brisés, au-dessus desquels demeure une section de corniche séparant les registres. Moretti a considéré cette zone comme « le signe d'une transformation qui peut-être, dans l'intention des constructeurs, aurait dû concerner tout l'édifice, en s'inspirant du prototype de Saint-Clément à Casauria ».

Entre le second et le troisième arc de droite se situe un singulier pilier carré extrêmement fin, avec une base et un chapiteau de grandes proportions par rapport au fût : il s'agit de la combinaison de fragments de diverses provenances, dont la mystérieuse origine a donné naissance à une légende selon laquelle ce support aurait été transporté et inséré dans l'église par la main d'un ange. Au-dessus du pilier a été retaillé au XVIIIe *siècle un arc de décharge pour diminuer la poussée du mur.*

Tous les piliers sont dotés de bases.

Les chapiteaux vont des impostes simples et linéaires des piliers carrés aux types revêtus de motifs végétaux ou floraux qui caractérisent les piliers cruciformes, et jusqu'au fantastique chapiteau à ombrelle du grêle pilier mentionné plus haut, composé de deux couronnes de grandes feuilles raides, au-dessus desquelles naissent et s'entortillent des caulicoles semblables à des cordons, surmontés d'un tailloir à palmettes avec aux angles de petites têtes anthropomorphes.

La couverture de l'édifice est en charpente apparente; le pavement de pierre est coupé par quelques marches à la quatrième et à la sixième arcade. Les marches qui montent au sanctuaire laissent place au centre à un petit escalier qui donne accès à la crypte située au-dessous.

Fresques. *Parmi les modestes fresques votives qui décorent les piliers, un épisode d'un intérêt particulier nous est offert par les trois scènes peintes sur le quatrième support de droite, auxquelles même Matthiae a prêté attention, les datant, avec quelque réserve, d'après le milieu du* XIIIe *siècle.*

Les trois tableaux, qui représentent les dernières scènes de la Passion du Christ (Déposition de la croix, Ensevelissement et Descente aux enfers), ont été considérés par cet auteur comme un singulier exemple d'art local, libre de tout lien culturel avec d'autres centres artistiques : sorte d'interprétation dialectale des modèles byzantins traditionnels, avec un linéarisme plus marqué et un choix de couleurs assez pauvre, fait de tons de terre chauds.

Outre ces considérations, il semble qu'on puisse relever chez l'auteur de l'œuvre une remarquable sensibilité d'expression, surtout dans l'épisode de la Descente aux enfers, résumé dans le dynamique mouvement central du Christ qui saisit énergiquement par la main l'un des damnés, geste symbolique de son action libératrice.

5

*FOSSACESIA. SAN GIOVANNI IN VENERE. HISTOIRE : ÉLEVÉ SE*lon la tradition sur les restes d'un temple dédié à Vénus Conciliatrice, dans un endroit d'où l'on a une merveilleuse vue panoramique sur le golfe dit précisément de Vénus, l'ensemble monastique de Fossacesia a une origine lointaine et imprécise : les premiers documents qui en parlent remontent au VIIIe siècle, nous fournissant pour la datation un «terminus ante quem».

Dans la première moitié du XIe siècle Trasmondus II, comte de Chieti, entreprit une importante reconstruction de l'édifice confié aux bénédictins et inaugura une nouvelle phase de grande splendeur pour le monastère.

Avec l'avènement de l'abbé Oderisius II, l'ensemble fut plus tard agrandi et transformé (1165), accueillant des traits de l'architecture bourguignonne greffés sur une structure encore substantiellement romane.

Une inscription lapidaire à l'intérieur de l'église donne ce témoignage : ANNO DOMINICE INCARNATIONIS M.C. SEXAGESIMO QUINTO, INDICTIONE XIII MENSE APRELIS EGO ODERISIUS DEI GRATIA SANCTI IOANNIS IN VENERE ABBAS ET SANCTE ROMANE ECCLESIE SUBDIACONUS BASILICAM SANCTI IOANNIS IN VENERE CONSTRUERE ET AEDIFICARE LARGIENTE DOMINO CEPI.

En 1225-1230 sous l'abbé Rainaldus, le portail fut enrichi de remarquables bas-reliefs en marbre et au siècle suivant furent menées

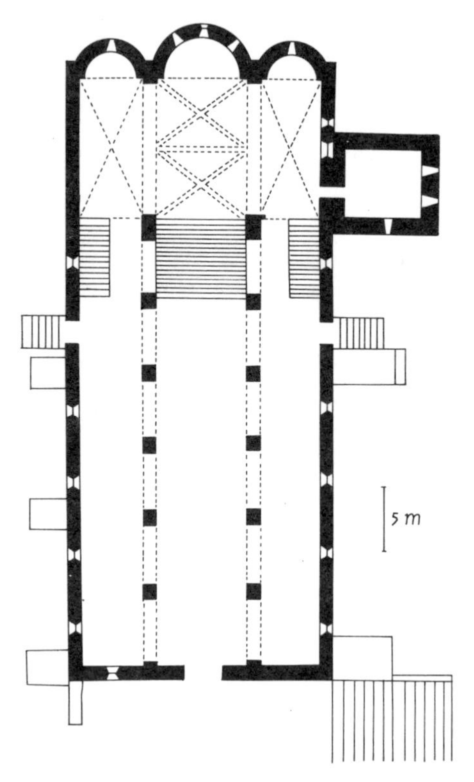

FOSSACESIA

à bien d'autres campagnes pour l'achèvement de l'édifice.

La construction fut plusieurs fois endommagée par des secousses sismiques et remise en état dans la suite.

L'ensemble monastique a été également restauré dans le siècle en cours; en particulier l'intervention de 1968-1969, sous la conduite de Moretti, a rouvert les dernières arcades de la nef centrale (murées pour en éviter l'écroulement), a éliminé le rehaussement de la façade et a mené à leur terme d'autres travaux de remise en état (pavement, enduits, renouvellement des dormants).

Visite. Naturellement défendue par la mer, l'abbaye de Fossacesia devait constituer jadis une sorte de monastère-forteresse.

Aujourd'hui, après les restaurations, la construction se laisse pleinement voir dans ses lignes architecturales où l'on trouve, comme déjà en d'autres édifices romans des Abruzzes, la capacité de fondre en un ensemble harmonieux des éléments structurels et décoratifs élaborés dans des milieux divers (Bourgogne, Sicile, Pouilles, Lombardie), les greffant sur le tronc de la tradition régionale.

En particulier l'église Saint-Jean in Venere témoigne de la pénétration précoce, dans la région des Abruzzes, de traits propres à l'architecture cistercienne.

Le plan présente l'habituel schéma basilical à trois nefs avec piliers et absides inauguré dans cette région par San Liberatore alla Maiella, mais le sanctuaire est fortement surélevé en haut d'un escalier pour laisser sa place à une crypte située au-dessous.

Au côté droit du sanctuaire est flanqué le clocher carré qui garde sa robuste souche originelle.

L'élévation révèle à l'extérieur les nombreuses reconstructions par l'emploi désordonné de matériaux divers : blocs de tuf sombre, briques, pierraille; tandis qu'à l'intérieur, crépi, la pierre de taille utilisée à bon escient met en relief le dessin des arcs et des piliers.

Sont également diversement utilisés des fragments de l'époque romaine.

Sur le haut parvis auquel mène un petit escalier latéral donne la façade principale à rampants interrompus, dans le ton chaud de la pierre brune sur laquelle se détache le marbre blanc des reliefs du grand portail. Deux différentes structures de contreforts semblent «étayer» la façade aux deux extrémités.

La partie haute de la nef centrale est due à une réfection tardive. Le parement en blocs de pierre est en effet remplacé ici par un mur de briques, percé d'une fenêtre en son milieu et terminé par une corniche d'arceaux.

La conception romane de la surface murale comme élément générateur de forme se trouve exprimée dans l'inhabituel portail gothicisant, surmonté d'un arc trilobé avec pinacles et richement décoré sur les côtés de bas-reliefs classicisants datables de 1230, comme en témoigne une inscription au tympan qui fait référence à l'abbé Rainaldus, à la tête du monastère à cette époque : ABBAS RAINALDUS HOC OPUS FIERI FECIT.

Les sculptures du tympan (de la même époque) sont divisées en deux registres par une corniche à palmettes; au registre supérieur se trouve le Christ en majesté entre la Vierge et saint Jean-Baptiste (sculptures de saveur bourguignonne), tandis qu'au registre inférieur demeure seulement quelque partie d'une composition qui devait comprendre : saint Romain (évoqué par l'inscription), saint Benoît (dont il reste le buste sans tête entouré d'une sorte de petite fenêtre) et saint Rainaldus (dont il reste un fragment).

Sur les bas-reliefs des pilastres latéraux se déroulent des épisodes de la vie du Baptiste, entre des bandeaux ornementaux. On perçoit un écho du modèle de Casauria dans le traitement des petites rosaces et des rinceaux qui séparent les scènes.

A gauche du portail une épitaphe soulignée par une corniche polygonale à ressauts, toujours en marbre, rappelle le souvenir de l'abbé Oderisius : MORIBUS ENITUIT TUMULUS

QUEM CONTINET ISTE ORDINIS ET GENERIS MAGNUS ODERISIUS ISTE ABBAS CARDINALIS ORTUS E COLLE PETRINIS FELICITER PRAEFUIT ANNIS XL NOVEMQUE MCC DOMINI QUOQUE IV ANN IOANNES CICONIE HOC OPUS FIERI FECIT (l'inscription est reproduite avec les corrections apportées par Moretti).

Gavini a porté son attention sur les corniches de couronnement qui se déploient le long des nefs latérales, au flanc de la nef centrale du côté du cloître (la zone supérieure de l'autre flanc est due à la restauration) et sur les frontons des deux faces Est et Ouest, les considérant comme une preuve de l'intervention directe d'équipes bourguignonnes.

Les corniches inférieures sont simplement composées d'une gorge portée par des modillons reliés par des surfaces courbes, tandis que les couronnements de la nef principale sont dotés de motifs ornementaux variés (étoiles, fleurs, croix, etc.) inscrits dans les arceaux.

L'édifice présente sur les flancs deux entrées secondaires pourvues de tympans et de piédroits en marbre.

Le portail du côté droit est constitué d'un triple ressaut d'arcs entourant le renfoncement du tympan où se trouvent deux sculptures isolées (un ange, et une Vierge à l'Enfant incomplète).

L'entrée qui donne sur le cloître présente le même schéma à ressauts et porte une inscription avec l'indication de l'auteur (maître Alexandre) et de la date d'exécution (1204) : AD MCCIIII MAGISTER ALEXANDER HOC OPUS FECIT.

Dans la composition du portail, le maître a utilisé des fragments d'une époque antérieure : petits pilastres avec entrelacs de rubans du VIIIe siècle pour former les piédroits, et peut-être des parties d'une clôture de chœur de l'époque de Trasmondus au tympan.

Le chevet, qui révèle dans l'emploi des matériaux plusieurs campagnes de construction, comprend des motifs décoratifs d'origine islamico-sicilienne, allégeant par de brillants effets picturaux la masse des absides. Sur les trois demi-cylindres monumentaux, un bandeau à losanges sépare la zone supérieure en pierre de taille de la moitié inférieure plus grossière, entourée d'une suite d'arcades aveugles surmontée de médaillons étoilés en tuf et marbre. Des archères réduites à des fentes et deux fenêtres trilobées (ces dernières dans l'abside centrale) permettent l'éclairage du sanctuaire et de la crypte.

L'intérieur basilical, rigoureusement dessiné, est par contre marqué des caractères spatiaux de l'architecture transalpine.

Le rythme serré des six travées élancées aux arcs brisés se fait plus ample dans le vaste sanctuaire, compris entre l'escalier et l'arcade brisée de faible hauteur.

Les piliers carrés, composés dans le sanctuaire, s'élèvent à partir d'une base attique sur un soubassement carré et sont creusés d'une griffe acérée sur les arêtes.

Au-dessus des piliers, terminés par une fine moulure dentelée, s'élèvent des demi-colonnettes couronnées de chapiteaux ornés de feuilles à crochets : motif propre à l'architecture bourguignonne.

A l'alignement de ces chapiteaux court une simple corniche au-dessus de laquelle s'ouvrent avec régularité, entre des arcades aveugles à peine marquées, six fenêtres par côté.

D'autres fenêtres, entre des arcades aveugles semblables avec modillons, introduisent de la lumière dans les nefs latérales, donnant naissance à une clarté diffuse qui rend plus sensible la netteté des surfaces de l'église.

Le pavement est en pierre.

L'espace intérieur devait, selon le projet originel, être couvert d'une vaste voûte, comme le suggère la présence des demi-colonnettes suspendues le long de la partie supérieure du mur.

Cette couverture ne fut jamais exécutée et encore aujourd'hui les nefs présentent une charpente apparente, ne laissant qu'au transept, divisé en trois travées par de grands arcs, le privilège d'avoir des voûtes d'arêtes, une seule dans le prolongement des nefs latérales, deux renforcées de nervures en pierre dans la zone centrale.

La crypte. La crypte, qui occupe tout l'espace au-dessous du sanctuaire, est attribuée par Moretti à l'année 1015, tout en admettant des réaménagements ultérieurs, contrairement à Gavini qui découvre dans la construction une unité de conception telle qu'elle exclue une réalisation en plusieurs fois.

Cette crypte, à trois absides, est divisée en deux nefs (dans le sens du plus grand côté) par quatre colonnes (dont trois en marbre cipolin). Deux autres colonnes, plus fines, donnent naissance à un triforium à l'ouverture de l'abside majeure.

L'espace est répartie en dix travées (dont les six centrales sont nettement plus étroites que les latérales) couvertes de voûtes d'arêtes sur des arcs en plein cintre ou brisés reçus par des pilastres flanquant des demi-colonnes adossées aux murs gouttereaux.

La crypte présente des fresques d'un grand intérêt, restaurées en 1970 et attribuées généralement à l'époque d'Oderisius II, mais Mathiae (comme déjà Van Marle) estime que seule la fresque de l'abside centrale peut dater de cette époque, tandis que les autres peintures devraient remonter à une période postérieure, compte tenu du développement formel des figures.

La fresque de l'abside centrale représente le Christ en majesté dans la mandorle qui est le symbole de la parousie : la présence du Dieu ressuscité. Les formes sont fines et allongées, les anges presque évanescents, selon une tendance typiquement régionale qui continuera à s'affirmer en dépit des apports de la culture méridionale. Dans les personnages de chaque côté de la fenêtre double, Matthiae reconnaît saint Jean-Baptiste, vêtu de peaux, et saint Benoît en habit de moine.

Sur les culs-de-four des absides latérales revient le thème du Christ sur un trône entre des saints. L'une des fresques (abside de gauche) est endommagée pour un tiers (des quatre saints représentés restent seulement les deux de droite : saint Guy et saint Philippe) et présente de nombreux repeints qui rendent difficile la datation; d'autre part on peut affirmer avec certitude que le type de construction en perspective du trône est déjà pratiquement du XIIIe siècle. Encore plus tardive, selon Matthiae, la fresque de l'autre absidiole avec le Christ entre saint Pierre et saint Paul (sur la droite) et les saints Jean l'Évangéliste et Jean-Baptiste (sur la gauche).

La souplesse du modelé, le dessin cosmatesque du trône et les chaudes nuances de couleur des personnages rappellent les peintures du XIIIe siècle à Rome, en particulier les manières de Cavallini.

Dans l'abside centrale, un panneau avec la Vierge entre l'archange Michel et saint Nicolas de Bari dénote une culture plus liée à la tradition byzantine, passée à travers l'interprétation d'un artiste méridional, probablement originaire des Pouilles comme tendrait à le confirmer le choix des saints représentés.

Cloître. Formé d'une série de baies triples à fines colonnes et grands coussinets à béquilles, le cloître (au flanc gauche de l'église) a été complètement reconstruit dans les années 30.

Seules sont d'origine quatre baies triples sur le côté Sud, datables du XIIe siècle.

Local inférieur. Dans le sol qui précède la façade a été creusée une salle souterraine couverte de voûtes d'arêtes.

Probablement contemporaine des travaux de 1165, la salle a pour supports un pilier central et des demi-colonnes adossées aux côtés.

La fonction originelle de cet espace demeure incertaine.

6 MORRO D'ORO. SANTA MARIA DI PROPEZZANO. HISTOIRE : L'ORI*gine de la basilique Sainte-Marie de Propezzano, située sur une rive vallonnée du Vomano, est très ancienne : dans une bulle de Boniface IX on parle d'une apparition en ce lieu de la Vierge Favorable aux malheureux (Propizia, d'où Propezzano), survenue le 10 mai 715, qui aurait encouragé l'agrandissement d'un édifice religieux déjà existant. La présence d'un sanctuaire du* VIIIe *siècle est en effet confirmée par quelques fragments de plaques insérés dans la façade et représentant des rubans entrelacés.*

Selon la tradition, la Vierge serait apparue à trois évêques revenant de Jérusalem, où ils s'étaient procuré de précieuses reliques du Sauveur.

Au-delà de l'événement miraculeux, un fait est significatif : l'église bénédictine avec le monastère qui s'y rattache s'est trouvée placée le long d'une importante route côtière, fréquentée par des croisés et des pèlerins se dirigeant vers la Terre Sainte.

Selon Moretti, l'édifice est le résultat de deux campagnes de construction, que l'on peut situer autour de 1285 (date peinte au-dessus du portail d'entrée et encore lisible du temps de Bindi) et l'autre dans les premières décennies du XIVe *siècle. Je considère cette opinion comme discutable en raison de la proximité des deux dates (une église construite en 1285 et démolie pour être refaite une trentaine d'années après?) et d'éléments objectifs.*

La première construction était un édifice à une seule nef avec abside, couverte en charpente apparente et flanquée du clocher. De cette époque subsistent : la partie inférieure et centrale de la façade avec l'ancien portail renforcé par des barres de fer, la fenêtre circulaire la plus basse (dans l'axe de l'entrée), l'emplacement du clocher et à l'intérieur des vestiges de l'abside semi-circulaire (remis au jour par la restauration).

La datation de cet édifice, vu le petit nombre de données, est très difficile : il pourrait remonter au XIe *siècle. Les années allant de 1285 (date figurant sur la façade) à 1315 (date hypothétique de la réalisation du portail) devraient quand même être celles de la construction actuelle : une église de plan basilical à trois nefs, couverte de voûtes et terminées par un mur plat avec un portail central (sur la base d'un examen attentif de ce portail, du décor semblable à celui d'un atrium, Moretti a attribué cette œuvre à l'année 1315). La présence du portail à l'autre extrémité peut faire supposer l'intention de retourner l'orientation de l'église, comme il arriva dans ces années-là à Lanciano. Le clocher fut englobé dans la nouvelle construction et surélevé, et en façade on ouvrit une seconde fenêtre circulaire correspondant au nouvel axe de l'église tandis que l'oculus antérieur était bouché (il a été rouvert par la restauration).*

Pour ce qui est du petit porche romano-gothique situé au milieu de la façade, quelques doutes subsistent : Moretti défend son appartenance à l'édifice de 1285, n'estimant pas recevable l'observation de Gavini qui en soulignait la ressemblance avec le narthex de San Pellegrino à Bominaco, datant du XVIIIe *siècle. De notre côté nous semble plus plausible l'hypothèse d'une insertion tardive du petit porche (*XIXe *siècle).*

Au XVIe *siècle, à l'époque des cardinaux Acquaviva, l'important portail au chevet de l'édifice fut transféré en façade (à gauche de l'entrée centrale, parce que s'y trouvait encore la vieille porte désaxée par rapport à la nouvelle église et flanquée de peinture qu'il aurait fallu détruire) et utilisée dorénavant comme « Porta sancta » à l'occasion des grandes célébrations religieuses.*

Par Bindi nous savons qu'en 1580 le cardinal Ottavio d'Acquaviva donna l'église, le monastère et un peu de terre au Ministre provincial des Frères observants, dont l'édifice reçut des agrandissements et des modifications.

L'ensemble des bâtiments religieux, fermé en 1809, est propriété privée depuis 1812.

Après un long abandon, ont été effectuées plusieurs restaurations.

MORRO D'ORO

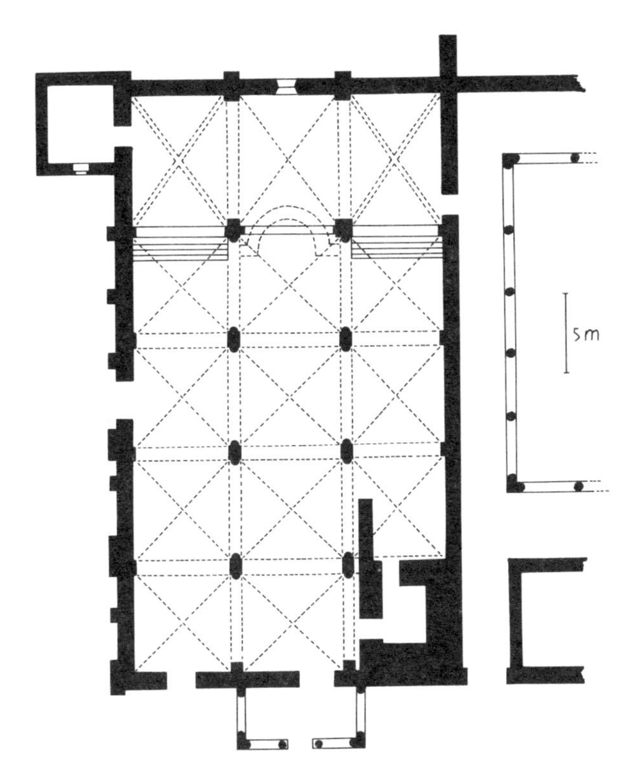

Visite. *La construction en deux fois de l'église Sainte-Marie de Propezzano n'a pas porté atteinte à l'organisation et à la cohérence de son espace intérieur mais elle est visible dans l'assemblage des divers volumes qui constituent la partie frontale.*

L'édifice, précédé d'un petit porche, est de plan rectangulaire divisé en trois nefs d'égale largeur par des arcs en plein cintre sur piliers.

Chaque nef est constituée de cinq travées à voûtes d'arêtes; la première travée à droite est occupée par le clocher. L'élévation de l'église a été réalisée avec de la brique, de ton clair et rosé, utilisée le plus souvent avec une remarquable délicatesse sauf aux endroits destinés à être revêtus de fresques.

La façade principale est formée d'un corps central encadré de lésènes carrées suspendues, avec un couronnement horizontal, auquel sont juxtaposées deux ailes de hauteurs inégales (elles aussi à couronnement horizontal) correspondant aux nefs latérales. L'asymétrie des deux fenêtres rondes, ouvertes au-dessus du porche à des époques différentes, accentue l'irrégularité de l'architecture à l'extérieur.

Outre certains éléments décoratifs en brique, d'autres traits sont intéressants : le petit porche rustique en style romano-gothique (de l'intérieur duquel sont visibles des restes de fresques anciennes en façade) et, à gauche, le portail en avant-corps ébrasé, avec des voussures au dessin varié et des colonnettes d'angle à double nœud.

Au chevet de l'édifice subsiste quelque trace de la dépose du portail remplacé par une fenêtre. Le flanc droit de l'église est englobé dans le monastère.

L'espace intérieur doit son ampleur à un esprit déjà gothique qui dilate les voûtes d'arêtes, très hautes dans la nef centrale. Aux supports carrés en brique s'adossent deux demi-colonnes avec des bases attiques et d'élégants chapiteaux semi-cubiques chanfreinés aux angles, dans le même matériau. En parfaite continuité avec les piliers s'élancent les arcs en plein cintre doublés par un deuxième rouleau aux angles nets.

A l'extrémité de la nef médiane, à l'endroit des deux petits escaliers qui raccordent les nefs latérales au sanctuaire, sont visibles les restes de l'abside du XIII*e siècle.*

L'église est bien éclairée dans la nef centrale, où elle reçoit la lumière des fenêtres circulaires de la façade et des petites fenêtres percées avec régularité dans chaque travée de la nef; sont davantage dans l'ombre les nefs latérales et le fond du sanctuaire dans lequel se trouve une seule fenêtre carrée.

Le bon éclairage de la nef centrale est rendu nécessaire par la présence de fresques, au-dessus de la troisième arcade de gauche, qui représentent l'Annonciation et cinq scènes : unique vestige de la décoration à fresque du XV*e siècle.*

Cloître. *Le cloître de plan carré, construit au* XIV*e siècle, enrichi d'une galerie supérieure deux siècles plus tard et probablement restauré à la même période, constitue un épisode architectural d'un grand*

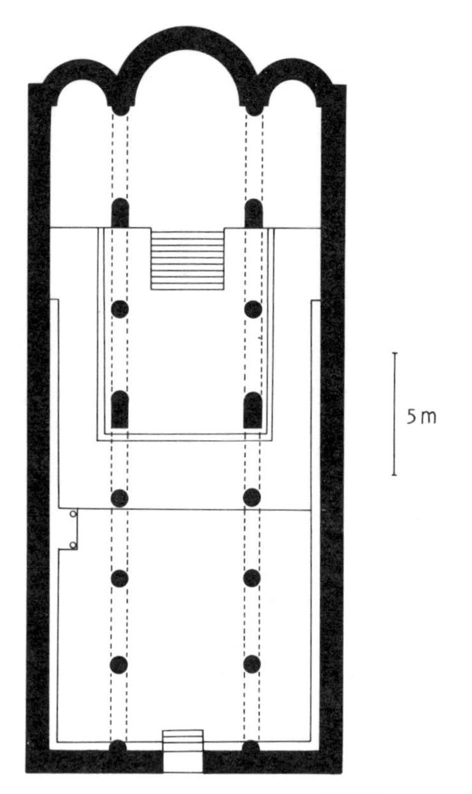

NOTARESCO

charme en raison de l'harmonie des proportions jointe à une sobriété décorative en parfait accord avec l'intérieur basilical.

Réalisé entièrement en brique, le portique est scandé de vastes arcs en plein cintre sur piliers polygonaux, avec des chapiteaux cubiques chanfreinés aux angles; à chaque arc de l'étage inférieur correspondent deux petits arcs de la galerie supérieure sur colonnettes cylindriques.

Au centre de la cour est placé un puits à base polygonale.

Sur les tympans à l'intérieur du cloître restent des lambeaux de fresques du peintre polonais Majewski (1660).

Au réfectoire, peintures du XVIe siècle.

7 NOTARESCO. SAN CLEMENTE AL VOMANO. L'ÉGLISE SAINT-

Clément au Vomano s'élève à proximité d'un cimetière, sur une légère pente dans la vallée du fleuve dont elle a pris le nom.

Construite en même temps qu'un monastère, détruit par la suite, l'église d'après le «Chronicon Casauriense» fut élevée à l'initiative de la mère de l'empereur Louis II, Ermengarde.

Sous la juridiction de l'abbaye de Casauria depuis le IXe siècle, l'édifice fut reconstruit en 1108 comme l'atteste l'inscription au montant gauche du portail, ainsi rapportée par Moretti et confirmée par l'indiction citée, qui tombent bien cette année-là :

ANNI ABI
NCARNA
IONE DNI
NOSTRES
IESU XPI
SUNT M/
CVIII
INDC
IONE XV.

Delogu, sans tenir compte de la coïncidence avec l'Indiction, a par contre proposé une lecture différente de l'inscription, selon laquelle la date serait 1158 (... MLCVIII..., où le signe des dizaines est placé avant celui des centaines).

Cette interprétation, à son avis, expliquerait aussi «pourquoi dans un édifice de 1108 se trouveraient des chapiteaux appartenant manifestement à l'atelier de Roger et Robert, connus seulement entre 1148 et 1166. La difficulté, perçue mais habilement résolue (Gavini, vol. 1, p. 179) en admettant que ces chapiteaux soient restés épannelés et qu'ils aient été sculptés sur les lieux précisément par des artistes de cet atelier une cinquantaine d'années après leur mise en place, se résout par contre aisément en les attribuant avec l'édifice tout entier à Roger et Robert qui, on le sait, signèrent le ciborium encore conservé dans cette même église».

D'autre part Delogu observe «que toutes les sculptures en place dans l'église ne peuvent être attribuées à Roger et Robert, les ornements du portail de façade étant étrangers à leur manière quoique influencés par elle et l'on doit les attribuer à une autre main».

L'église a subi plusieurs remaniements au cours des temps. Elle a été restaurée en 1926.

Visite. Malgré les modifications apportées au projet originel, il est possible de percevoir l'influence persistante de l'architecture romane de la vallée du Pô et la survivance de souvenirs classiques dans l'ornementation (portail).

Gavini et Moretti ont en effet considéré l'église Saint-Clément au Vomano comme une des nombreuses descendantes de San Liberatore alla Maiella : opinion que ne partage pas Delogu qui, avec Pace, repousse la datation de cinquante ans, comme on l'a signalé.

Pour notre part nous estimons que la date fournie par l'inscription (1108) est la plus plausible, en raison de la coïncidence avec l'indiction et pour des motifs stylistiques qui mettent l'édifice en relation étroite avec ses prédécesseurs bénédictins de la fin du XIe siècle.

L'église est de plan basilical à trois nefs avec absides et six supports par côté; le sanctuaire où trône le superbe ciborium de Robert et Roger (milieu du XIIe siècle) est surélevé de dix marches et accessible de la nef centrale seulement, les nefs latérales se terminant par un mur.

Dans la construction, on a utilisé divers matériaux, parmi lesquels des fragments de l'époque classique (comme le morceau d'architrave à triglyphes et métopes employé comme montant de fenêtre du côté droit). On trouve surtout de la maçonnerie mixte : seule la façade conserve autour du portail une partie du parement de pierre de taille, noircie par le temps. Les colonnes sont en brique.

La façade principale a perdu sa physionomie primitive, ayant été presque entièrement reconstruite : c'est aujourd'hui un mur gris à rampants interrompus étayé de deux contreforts dus à la restauration aux côtés du portail, unique témoin de la construction ancienne.

L'entrée constituée par des piédroits, un linteau et une archivolte sculptée en relief, rappelle manifestement celles de l'école bénédictine déjà vues, par sa technique «à entaille simple», son schéma de composition et ses motifs décoratifs (Moretti).

Le chevet où Gavini a repéré des fragments de la construction du IXe siècle encastrés dans le mur, a été lui aussi modifié dans son aspect originel par l'adossement d'un clocher-mur (de type abruzzain) qui masque l'abside de droite. Les arceaux de couronnement et les lésènes, marqués en léger relief sur les absides, appartiennent à l'ensemble des motifs de source lombarde : la prédilection pour des formes dépouillées et réduites à l'essentiel n'autorise pas d'autre décor, à l'exception des sobres ornements de la fenêtre de l'abside centrale.

A l'intérieur de l'église, deux rangées de colonnes en brique, renforcées de pilastres au milieu de la nef et au sanctuaire, reçoivent les arcs en plein cintre; deux demi-colonnes adossées au revers de la façade et aux côtés de l'abside centrale se trouvent au départ et au terme des rangées de colonnes.

La seconde colonne à gauche se distingue parmi les autres du fait qu'elle est un fragment d'époque classique, au fût cannelé à la grecque.

Demi-colonnes et colonnes, dont trois se trouvent surélevées par des socles carrés d'épaisseurs diverses, sont coiffées de chapiteaux que Gavini comme de coutume a répartis en groupes :

– un premier groupe comprend les types «à coussin» à faces triangulaires (chapiteaux des premières arcades);

– un second type est qualifié de «floral» et constitue une grossière imitation du style corinthien, avec des feuilles raides et poilues;

– le dernier groupe est composé des chapiteaux du sanctuaire «cubiques à faces semicirculaires» avec des reliefs souples et raffinés que Gavini attribue aux auteurs du ciborium, Roger et Robert.

L'intérieur basilical ne présente pas de nouveautés substantielles par rapport aux églises abruzzaines contemporaines : le pavement est en brique toute simple, la couverture en charpente apparente, les fenêtres s'ouvrent dans la partie la plus haute de la nef centrale, presque sous le toit.

C'est une sensibilité architecturale particulière que dénote la solution adoptée pour le sanctuaire, qui met en valeur l'élément le plus intéressant et le plus précieux de l'édifice : le ciborium. Ce dernier est posé sur un emmarchement raide et s'inscrit dans l'arc de l'abside centrale; exécuté en stuc, il porte la signature de Robert et de Roger (+ PLURIBUS EXPERTUX FUT CUM PATRE ROBERTUS ROGERIO AURAS REDDENTES ARTE FIGURAS) mais pas de date. Les archéologues s'accordent cependant pour attribuer l'œuvre au milieu du XIIe siècle par comparaison avec une réalisation semblable de Robert et Nicodème, conservée dans l'église Sainte-Marie in Valle Porclaneta à Rosciolo. Le schéma de composition est analogue (quatre colonnes sur lesquelles retombent des arcs polylobés et deux tambours octogonaux percés de petites galeries) et le type de décoration non exempt d'influences arabo-islamiques.

Fresques. Au revers de la façade se trouve les restes d'une fresque que Bindi attribue au XVe siècle. Selon son interprétation elle représenterait une légende apocryphe : la mort de la Vierge.

Des fresques intéressantes subsistent aussi dans une petite chapelle de la nef latérale de gauche. Datées de 1419, elles représentent le Christ bénissant entre la Vierge et des saints.

8 PENNE. CRYPTE DE LA CATHÉDRALE. HISTOIRE : LA CRYPTE

et quelques fragments intéressants sont les uniques témoins originels de la cathédrale de Penne, siège d'un diocèse ancien mentionné en 868 à l'occasion du transfert des reliques de saint Maximin auquel l'église est toujours dédiée.

Comme le rapporte Moretti, la cathédrale romane reconstruite au XIe siècle fut dénaturée par une série de modifications ultérieures, au XIVe et au XVIIe siècle.

PENNE

Encore abîmée par la discutable restauration de 1905, la basilique fut en grande partie détruite par le bombardement aérien de janvier 1944. Elle a été remise en état en 1955.

Visite. *Le corps architectural de la cathédrale a complètement perdu son caractère roman : il présente d'importantes réfections dans la partie antérieure et des compléments de style moderne dans le sanctuaire.*

Le plan est en croix latine à trois nefs, avec piliers et arcs brisés en brique, et se conclut par un sanctuaire surélevé pour laisser de la place à la crypte située au-dessous.

Un parement uniforme en brique donne son nouvel aspect à la façade reconstruite à rampants interrompus, où se détachent la rose du XIVe *siècle et un portail* Renaissance *daté de 1574.*

Est en partie reconstruit aussi le clocher du XIVe *siècle, entièrement en brique, caractérisé par une frise d'arceaux entrelacés. Élément intéressant : la porte d'accès au clocher marquée de fragments sculptés qui, par la technique du relief (plutôt aplati) et par le choix du motif décoratif (rinceaux pleins de fantaisie), se rattachent à la deuxième moitié du* XIe *siècle.*

Également intéressant pour notre étude : l'antependium de l'autel majeur, orné d'une large bordure à feuilles d'exécution raffinée qui par sa facture rappelle le décor du portail et de la rose de Sant'Angelo a Pianella, attribué par Moretti au maître Acutus et daté de 1180.

Crypte. *Si l'église ne garde qu'un pâle souvenir de sa période romane, la crypte est par contre un témoin assez complet de l'ancien édifice, surtout après la dernière restauration qui a éliminé les adjonctions.*

Moretti a proposé le XIe *siècle pour la datation de la chapelle tandis que M*^{me} *Cechelli Trinci, comme Gavini, estime que l'origine de ce local souterrain est antérieure de plus d'un siècle, soit par le matériau utilisé, soit par le type de chapiteaux, tous semblables, en pierre locale.*

Nous sommes d'accord avec cette seconde hypothèse, compte tenu aussi de la fonction sacrée de ce lieu, destiné à accueillir les reliques de saint Maxime, transférées en cet endroit en 868.

Le plan de la crypte comporte cinq petites nefs divisées transversalement par quatre supports (deux piliers vers l'extérieur et deux colonnes au milieu) et terminées par trois absides, dont la centrale est précédée d'un triple arc sur deux colonnes.

Les fûts des colonnes, lisses ou cannelés, sont tous de remploi, à la différence des chapiteaux taillés expressément pour la crypte et considérés par Gavini comme étant parmi les plus anciens exemples des Abruzzes de ce type cubique, « importé » avec l'arrivée des équipes lombardes dans la région.

Les supports reçoivent des arcs en plein cintre et des voûtes d'arêtes (dues à la restauration) dont les arêtes retombent sur des demi-colonnes adossées aux murs et flanquées de pilastres qui continuent la nervure de la voûte.

Une paire de demi-colonnes se greffe également sur l'arrondi de l'abside majeure qui de cette façon se trouve légèrement trilobée.

Sur les pilastres, des restes de fresques votives des XIIIe-XIVe *siècles.*

Fragments. *Parmi les éléments isolés trouvée dans la cathédrale, Moretti a porté son attention sur quelques chapiteaux ornés de fleurs géométriquement disposées (d'inspiration française) et sur un groupe de sculptures ayant probablement appartenu au départ à une clôture de chœur.*

Pour les chapiteaux, Moretti a émis l'hypothèse selon laquelle ils seraient des fragments du cloître détruit de l'abbaye cistercienne d'Arabona transportés ici pour un remploi envisagé mais non réalisé.

En ce qui concerne la datation des panneaux d'iconostase, sculptés de figures d'animaux (un dragon, un aigle, un cerf mordu par un chien), Moretti a proposé la deuxième moitié du XIe *siècle, avec quelque réserve pour le morceau d'architrave représentant une tête à trois visages, attribuable à une époque plus tardive.*

9 *PIANELLA. SANT'ANGELO. HISTOIRE : L'ÉGLISE SAINT-ANGE,*

à la périphérie du village de Pianella, fait partie d'une série d'églises abbatiales rénovées au cours du XIIe siècle dans la région de collines entre l'Adriatique et les derniers contreforts du grand Sasso.

Bindi (*Monuments historiques artistiques des Abruzzes*) a reproduit des renseignements très anciens sur l'existence en ce lieu d'un édifice religieux : les archives des Farnèse auraient révélé la présence au même endroit d'une église à cinq nefs, élevée entre 331 et 340 sur les restes d'un temple dédié à Vesta ; consacrée d'abord à Sainte-Marie-Majeure hors les murs, l'église aurait été dédiée à Saint-Ange au temps des Lombards (dont on connaît la dévotion à saint Michel Archange) et aurait joui d'importants privilèges grâce aux pontifes et aux princes lombards.

Sur la véracité de ces renseignements quelques doutes demeurent.

Nous savons qu'aux alentours de 1080 remonte l'arrivée des bénédictins à Pianella, mais la construction de l'édifice que nous étudions ne peut être antérieure au milieu du XIIe siècle.

Le portail et la rose de la façade principale sont attribués à une époque plus tardive, au moment de la diffusion de l'école de Casauria. Moretti les considère comme l'œuvre du maître Acutus, auteur de la chaire conservée à l'intérieur de l'église et les date des environs de 1180 ; il estime cependant qu'ils n'ont pas été exécutés sur place, comme peuvent le suggérer leurs dimensions dont l'échelle ne cadre pas avec celle de la façade.

A la même époque, Bologna attribue la Déèsis peinte à la fresque sur l'abside centrale, croyant y reconnaître la main d'un des peintres à l'œuvre dans le sanctuaire de Sainte-Marie de Ronzano.

Au cours des temps, l'église a subi quelques modifications de sa physionomie originelle.

Pendant les XIVe et XVe siècles furent renforcées les colonnes de la seconde arcade, un clocher dans le style fut inséré dans la première travée de droite et toute l'aile gauche de l'édifice fut surélevée.

Au XIXe siècle enfin de lourds travaux de restauration détruisirent une partie des précieuses fresques de l'intérieur.

Une restauration fondée sur des méthodes plus modernes s'est terminée dans les années 67-68 en rétablissant le pavement de l'église à son niveau originel.

Visite. L'édifice, situé sur un terrain de nature argileuse, a été construit entièrement en briques qui, laissées visibles, confèrent une tonalité chaude aux volumes de style roman lombard.

Le plan basilical est à l'accoutumée composé de trois nefs avec arcs en plein cintre et colonnes ou piliers alternés. L'espace se clôt par trois absides dont la centrale est plus vaste, et il est réparti en six travées.

La façade principale est malheureusement endommagée par l'insertion du clocher et par le mur qui surélève la nef latérale de gauche, mais la silhouette originelle à rampants interrompus est soulignée par une corniche d'arceaux encore en place. Le portail, légèrement brisé, et une grande rose marquent la zone centrale de la façade, occupant l'espace presque complètement.

Les piédroits, les chapiteaux et l'archivolte de l'entrée sont sculptés d'éléments turgescents à feuillage du type de Casauria, repris sur le renfoncement maçonné de la rose, tandis que le linteau présente un bas-relief avec la Vierge parmi des saints (identifiés par leurs inscriptions) caractérisé par un modelé plus fruste, propre à suggérer l'hypothèse qu'il s'agit du reste d'un portail antérieur (Balzano, *Emporium* 1908).

La surélévation de la nef latérale de gauche est visible même au chevet de l'édifice et gâte l'ensemble de la composition formée par les absides, dominée par le grand demi-cylindre de l'abside centrale et dotée d'une double frise d'arceaux et de fines demi-colonnes le long de l'arrondi.

Trois fenêtres (une par abside), à peine relevées de quelque motif géométrique en brique polychrome, assurent l'éclairage du sanctuaire.

A l'intérieur, les nefs sont séparées par cinq supports de chaque côté : colonnes et piliers (carrés à la première et à la quatrième arcade, octogonal à la deuxième arcade de gauche) entièrement faits de brique et couverts dans certains cas de restes de fresques du XVe siècle.

Le décor est modeste : les piliers se terminent par de simples moulures et les colonnes sont coiffées de chapiteaux bas en pierre sculptée de motifs végétaux schématiques.

Le long du flanc de gauche les grandes ouvertures cintrées, qui reliaient l'église à des locaux aujourd'hui disparus, ont été murées.

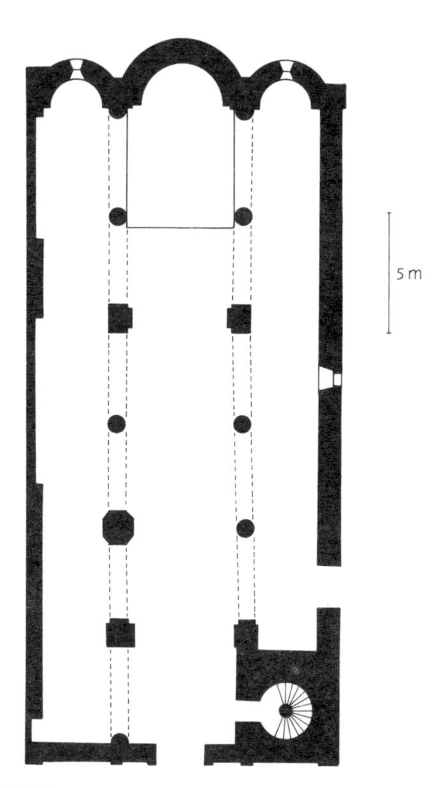

PIANELLA

Ont disparu aussi les arcs transversaux et les voûtes qui distinguaient le sanctuaire, pour faire place à une couverture en charpente apparente tout du long.

Le pavement est en carreaux de brique.

La chaire. La chaire, qui a une position insolite contre le mur de la nef latérale gauche (peut-être en raison de l'excessive étroitesse de la nef centrale) est généralement datée des années 1180-1182 environ à cause des liens évidents avec la chaire de Casauria.

Les inscriptions sur l'architrave (HOC OPUS INSIGNE FECIT COMPONERE DIGNE ABAS ECOLE ROBERTUS HONORE MARIE) et sur le pupitre (MAGIR ACUTUS FECIT HOC OPUS) indiquent comme auteur maître Acutus et comme commanditaire l'abbé Robertus.

Les chapiteaux, les architraves et les montants du garde-corps incitent à supposer une intervention directe des équipes de Casauria, mais les quatre symboles des évangélistes sur les panneaux (chacun accompagné d'un vers de Sedulius) ont été choisis de préférence aux grandes fleurs si chères à l'école de Saint-Clément, témoignant de la présence d'une personnalité artistique originale identifiée au maître Acutus mentionné plus haut.

Fresques. Les trois absides conservent des fresques d'un grand intérêt, datables des XIIe-XIIIe siècles.

Dans l'absidiole de droite est représenté l'Éternel bénissant sous lequel apparaît la Sainte Face entre quatre bienheureux, tandis que dans celle de gauche se trouve figuré le Rédempteur au milieu d'anges et de saints.

Matthiae a porté une particulière attention à la scène de l'abside centrale qui unit, selon lui, l'iconographie romane du Christ en majesté (dérivé du modèle paléochrétien de l'Ascension) à la scène au but plus strictement pédagogique du Jugement dernier, généralement représenté au revers de la façade.

Au Christ entouré de la mandorle portée par les anges qui est typique du Christ en majesté s'adjoignent ainsi au registre inférieur les onze apôtres qui forment avec lui le collège des juges et deux anges avec des cartouches qui prononcent la sentence du jugement.

Manquent par ailleurs la Vierge et le Baptiste qui au Jugement dernier symbolisent l'intercession destinée à adoucir la sentence.

Du point de vue technique, le même auteur a noté dans cette œuvre, en la comparant à la fresque de Sant'Angelo in Formis qui en constitue le modèle, une accentuation du contraste entre les couleurs, choisies dans les tonalités ternes des ocres, et un raidissement des cernes jusqu'à la dureté du masque, dans l'intention d'obtenir pour l'image une puissance d'expression plus directe.

10 PRATA ANSIDONIA. SAN PAOLO DI PELTUINO. HISTOIRE : *A faible distance des ruines d'une antique cité des Vestini, Peltuinum, s'élève l'église Saint-Paul : singulière construction de l'époque romane, sur l'antique Tratturus Magnus (Grande Draille), en direction Nord-Ouest - Sud-Est.*

Les historiens sont d'accord pour attribuer l'implantation de l'édifice actuel au XIIe *siècle.*

L'église est mentionnée dans des documents anciens, ainsi que le rapporte Gavini :

– dans une donation de 1113 ;

– dans une bulle de 1138 envoyée par Innocent II où elle est mentionnée parmi les biens du diocèse de Valva.

Comme de nombreux autres édifices romans abruzzains, la basilique Saint-Paul a elle aussi subi au cours des temps des destructions dues aux secousses sismiques, des restaurations et des transformations, tout en maintenant l'implantation primitive.

Aussi bien Gavini que Moretti parlent d'un premier agrandissement important au XIIIe *siècle auquel firent suite d'autres remaniements à des époques assez difficiles à préciser.*

*Ainsi la façade changea de physionomie, les murs furent notablement surélevés (*XIVe*?), les arcades de gauche à l'intérieur furent murées (peut-être à la suite d'un écroulement), les fermes en bois originelles de la couverture remplacées par des voûtes au cintre brisé (probablement dans la deuxième moitié du* XIXe *siècle car Piccirilli qui écrit en 1899 en parle comme d'une intervention récente), démolies ensuite par une restauration ultérieure.*

A cela s'ajoutèrent les longues périodes d'incurie et d'abandon qui permirent le vol de quelques incrustations anciennes situées dans les murs de l'édifice.

En 1796 la précieuse chaire dont était dotée l'église fut transférée dans l'église paroissiale Saint-Nicolas où elle est encore conservée aujourd'hui.

Visite. *Le plan de la basilique représente un cas insolite dans le panorama des édifices romans abruzzains.*

Ce plan en T est formé de la rencontre du transept rectangulaire avec la nef étroite et allongée tandis qu'un unique pilier carré robuste répartit le bras droit du sanctuaire en deux petits espaces.

La série des arcades aveugles qui anime le mur de droite de la nef et qui à l'origine s'étendait probablement aussi au mur de gauche semble n'avoir ni précédents ni imitateurs postérieurs dans les Abruzzes, mais rappelle plutôt des motifs propres à la Toscane, repris ici à l'intérieur de l'édifice comme pour simuler la présence de nefs latérales.

La façade principale dont l'axe ne coïncide pas avec celui de l'église, présente aujourd'hui une silhouette à pignon, mais d'après Moretti elle devait initialement se terminer par un clocher-mur au centre, comme à Sainte-Marie de Cartignano et à Saint-Nicolas de Pescosansonesco, auxquelles l'église Saint-Paul se rattacherait aussi par le type de son portail.

Ce dernier occupe la zone centrale de la façade, en légère saillie, et il est formé d'un linteau monolithique et de piédroits lisses couronnés de chapiteaux plats à feuillage. L'archivolte, flanquée de deux petits lions mutilés, ferme de sa courbe l'étroit espace et entoure un tympan traité en « opus reticulatum ».

Au-dessus du portail s'ouvre une petite fenêtre à roue, parmi les plus anciennes des Abruzzes, aux rayons faits de petites colonnettes entre des arceaux en plein cintre.

Le registre supérieur de la façade, souligné par une corniche saillante de remploi et terminé par un grand pignon rectangulaire, est dû à une opération de surélévation réalisée avec des matériaux divers au lieu du parement de pierre de taille aux joints serrés qui caractérise le registre inférieur.

Au cours de cette intervention on a ouvert une autre fenêtre circulaire en brique, juste accolée à la rose préexistante.

Le long des côtés de l'église aussi on peut voir la surélévation de l'édifice qui a déterminé (à droite) l'ouverture de grandes fenêtres, alignées sur les fenêtres primitives.

Au flanc droit se trouvent deux portails de type bénédictin ; l'un d'eux donne directement dans le bras droit du transept et présente, au milieu du linteau, un petit Agnus Dei sculpté.

A l'autre extrémité du même bras, sur une fenêtre, est visible une grande fleur en étoile : motif décoratif typiquement régional.

Entrant dans la basilique, on remarque le mur de droite scandé d'arcs aveugles en pierre de taille retombant sur des lésènes aux impostes linéaires (du genre que Gavini définit « corniche bénédictine », imaginée pour la première fois à San Liberatore alla Maiella). L'intérieur des arcs était probablement destiné à être occupé par des fresques, dont il reste quelques traces sous le premier arc. Sur le mur de gauche, peut-être écroulé puis reconstruit, de la fausse galerie demeurent seulement deux arcs murés qui retombent sur une paire de colonnes ioniques remployées.

Le développement des arcades aveugles sur la droite crée une perspective qui conduit le regard du visiteur vers le sanctuaire, surélevé de deux marches et couronné d'une arcade en cintre brisé.

L'unique pilier du transept présente une simple imposte où Piccirilli a relevé des fragments d'inscriptions romaines.

De l'autre côté, en passant sous une vaste arcade en plein cintre, on entre dans le bras gauche du transept. De là, selon la tradition, on pouvait gagner en passant par l'étroit passage du fond une route souterraine s'étendant jusqu'à Amiferno.

Après la démolition des voûtes, la couverture a retrouvé son aspect primitif à charpente apparente.

Fragments lapidaires. *L'église Saint-Paul est riche en fragments récupérés de constructions antérieures (de l'âge classique comme du haut Moyen Age) et remployés dans la maçonnerie extérieure et intérieure.*

Une partie de ces fragments a été volée pendant les périodes d'incurie qu'a connues le monument.

Mentionnons quelques-unes des pièces les plus intéressantes :

– (dans le mur extérieur près de la porte latérale) morceau d'un linteau avec une croix grecque décorée de rubans entrelacés et inscrite dans un cercle (IXe siècle) ; bloc mis à l'envers avec une inscription latine très usée ;

– (dans le mur du revers de la façade) deux fragments avec figures animales datables du IXe siècle ;

– (dans le mur intérieur de gauche, au-dessus des arcades) plaque de chancel représentant un cerf avec une colombe sur la tête, tandis qu'il dévore un serpent (IXe siècle) ; partie d'une plaque avec une fleur ;

– très beau chapiteau avec une corne d'abondance (probablement classique).

Chaire. *Conservée depuis 1796 dans l'église paroissiale Saint-Nicolas à Prata Ansidonia, la chaire fut conçue pour l'église Saint-Paul à Peltuino en 1240, comme en fait foi l'inscription sur le côté gauche du pupitre :*

ADMCCXL HOC OPUS ECCLESIAM
QUOD PAULE BEATE DEORAT
HAC TIBI SUSCIPIAS CUIUS TE
CLERUS HONORAT PROSITUS SERVUS
THOMAS FEC FABRICARI QUOS QUI
IUVERUNT ET EOS FAC XPE BEARI
(inscription rapportée par Moretti).

Moretti a placé cette œuvre au sommet de cette recherche formelle, destinée à résoudre de façon autonome le problème du décor de la chaire, qui a comme sources principales les exemplaires de Casauria et de Bominaco.

La chaire est formée d'un caisson rectangulaire adossé au mur et porté pas six sveltes colonnes sur de hautes bases dont seules les deux situées aux angles antérieurs sont considérées comme d'origine.

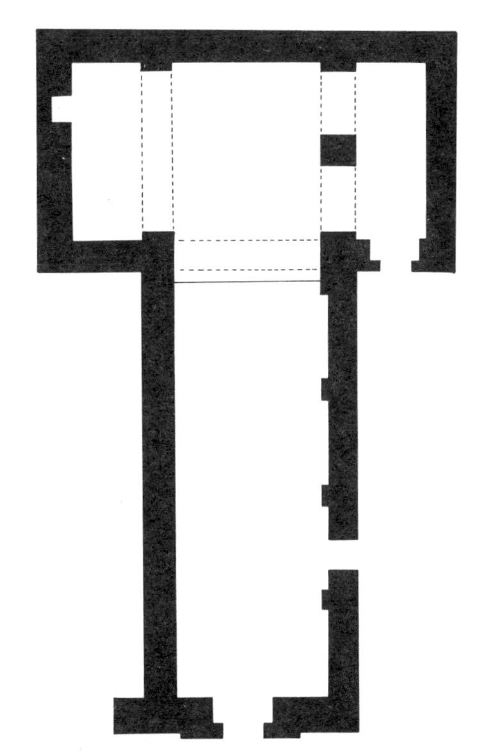

PRATA ANSIDONIA

L'excellente facture des architraves à rinceaux démontre la maîtrise complète désormais atteinte par leurs artisans dans l'imitation des motifs classiques. Mais c'est surtout dans l'exubérance plastique des fleurs de cardon sur les panneaux centraux que l'artiste exprime toute la puissance de création qui lui est propre et qui atteint la virtuosité.

Sur le lutrin semi-cylindrique scandé de colonnettes paraît, entre un épi de blé et un pampre de vigne, l'aigle symbolique de saint Jean l'Évangéliste qui tient dans ses serres un livre ouvert et est porté par une mystérieuse figure féminine avec un drapé classicisant (Piccirilli suppose qu'il s'agit d'une sybille). Le décor est plus simple sur le panneau qui constitue le garde-corps de gauche, où se détache sur le fond uni trois figures de saints : saint Paul au milieu, plus grand de proportions entre saint Tite et saint Apollon à ses côtés.

11

SANT'OMERO. SANTA MARIA A VICO. HISTOIRE : ISOLÉE SUR une des rives du torrent Vibrata, Santa Maria a Vico est l'une des œuvres les plus anciennes de l'histoire de l'art dans les Abruzzes. Considérée par la plupart des archéologues comme le témoin le mieux conservé de l'architecture

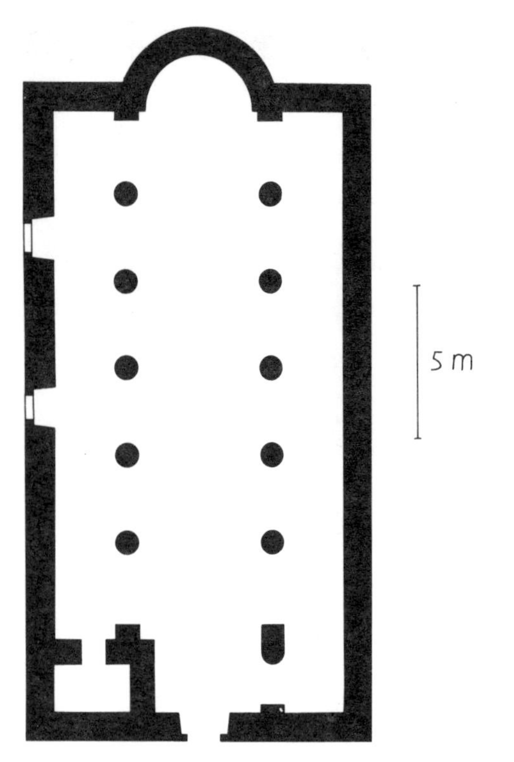

SANT'OMERO

religieuse abruzzaine avant l'an mil, l'église nous offre, en dépit des nombreuses et souvent grossières restaurations dont elle a été l'objet au cours des siècles, des éléments architecturaux d'une incontestable antiquité.

La dénomination de l'église a une origine explicitement romaine (a vico = hors du bourg) qui se réfère au «vicus stramentarius», mentionné par une inscription lapidaire de l'époque de Trajan retrouvée aux alentours de l'édifice et conservée aujourd'hui à l'intérieur de l'église elle-même.

L'inscription mentionne un temple dédié à Hercule et ce fait a soulevé la question (restée sans réponse) de la préexistence en cet endroit d'un édifice païen.

Au cours des dernières restaurations (1970-1971) qui ont rétabli le pavement à son niveau originel, ont été mis au jour des éléments qui suggèrent plutôt l'hypothèse de l'existence antérieure d'une basilique paléochrétienne :

– traces d'une abside plus large que l'actuelle (selon l'usage paléochrétien);

– fragments d'un pavement romain en brique pilée (qu'on ne peut rapporter à un édifice païen);

– petit puits cylindrique devant le sol surélevé du sanctuaire et sur l'axe médian de la nef centrale, que Sgattoni a reconnu, avec quelques réserves, comme une cuve baptismale paléochrétienne, surtout en raison de sa position à l'intérieur de l'édifice. (Du petit puits détruit au cours de la restauration, il ne reste que des reproductions photographiques).

Le document le plus ancien qui mentionne l'église Sainte-Marie a Vico est une bulle d'Anastase IV de 1153, publiée par Ughelli, mais la simplicité de l'œuvre architecturale, l'emploi de l'«opus spicatum» et la présence de claustras en pierre aux fenêtres dépourvues d'ébrasements (caractéristiques des édifices avant l'an mil), suggèrent de placer à une époque bien antérieure la construction de la basilique (IXe-Xe siècles).

La datation est rendue plus difficile par les modifications que l'église a dû subir au cours des temps.

C'est seulement avec la dernière restauration que le pavement, surélevé à une époque imprécise, a été rétabli au niveau primitif; en outre «à l'origine les nefs étaient plus basses que le sanctuaire auquel on accédait à partir de la nef centrale par deux petits escaliers placés latéralement» (Sgattoni).

Pendant les travaux de remise en état, le même auteur a découvert et heureusement photographié (avant qu'ils ne soient définitivement perdus) des fragments d'une clôture de chœur, probablement du IXe siècle.

A une intervention de 1885 est attribué l'écroulement d'une partie du clocher, resté tronqué, et la réfection de la fenêtre circulaire en façade.

Selon un renseignement fourni par De Bernardinis, les claustras des fenêtres (sauf une) ont été remplacées au cours d'une restauration (1908).

Enfin Matthiae a attribué une grande importance à une intervention du XIIe siècle «à laquelle pourrait être due une partie non négligeable de la construction actuelle».

Visite. L'église Sainte-Marie a Vico est passée à travers bien des vicissitudes architecturales, sans perdre son charme archaïque, dû avant tout à la présence d'une majorité de matériaux antiques remployés, pierres à peine dégrossies et briques d'une facture très ancienne. Le matériau est le plus souvent utilisé de façon non homogène, sauf sur la façade principale entièrement en brique où sur un bref espace paraît le très rare «opus spicatum» (système particulier de maçonnerie avec un dessin en arête de poisson, en usage chez les Romains).

Le plan est de type basilical, plutôt allongé, divisé en trois nefs par sept arcs de chaque côté retombant sur de frustes colonnes. La nef centrale, terminée par une abside semi-circulaire, a une largeur double de celle des nefs latérales, fort étroites.

La première travée de gauche est occupée par le clocher qui forme un corps unique avec la façade.

La terminaison horizontale au lieu des rampants au-dessus de la nef centrale et la disposition du clocher tronqué sont dues à une restauration.

Il reste quelques doutes sur la configuration originelle de la zone de la façade, étant donné la position du clocher, plus large que la nef latérale, et la présence symétrique dans la première travée de droite d'un pilier à la place de la colonne. Peut-être cette première travée est-elle devenue partie intégrante de l'église à une époque postérieure à la première construction, formant à l'origine un local indépendant de l'intérieur de la basilique.

La rose qui surmonte l'unique entrée centrale a été refaite en pierre lacustre remplaçant le calcaire précédent (Sgattoni).

Le portail a des piédroits composés de pierres équarries de diverses dimensions, un linteau lisse et une archivolte sculptée d'éléments symboliques, de fleurs et d'animaux simplement juxtaposés. La datation est comprise entre le XIe et le XIIe siècle.

Dans les flancs de l'église s'ouvrent quatre fenêtres (une dans la nef latérale de droite, trois dans celle de gauche), dépourvues d'ébrasement et fermées de claustras en pierre aux dessins géométriques. L'unique claustra d'origine est reconnaissable à ce qu'elle est constituée de pierre calcaire (comme l'ancienne rose).

Au chevet à pignon s'adosse une abside sans décor d'une largeur inhabituelle comme dans les exemples paléochrétiens.

L'intérieur est scandé de deux séries de bas piliers légèrement évasés dans le haut : comme une réédition rustique de l'antique colonne classique.

La colonnade, qui reçoit des arcs en plein cintre, part de la deuxième travée, du fait que les supports proches de l'entrée sont des fûts rectangulaires auxquels s'adossent une demicolonne (à droite) et le mur du clocher (à gauche).

La nudité de l'espace intérieur, sans crépi, révèle la pauvreté de moyens typique d'un édifice rural.

Tous les supports, excepté le dernier (formé de grossiers tambours de remploi), sont faits de matériaux divers et se terminent par des blocs parallélépipédiques à la place des chapiteaux.

La couverture est en charpente apparente ; le pavement en carreaux rustiques.

Dans la nef latérale de gauche s'ouvre une petite porte qui mettait l'église en communication avec des locaux aujourd'hui disparus.

12 TERAMO. CATHÉDRALE SAN BERARDO. HISTOIRE : LES HISTO-

riens sont généralement d'accord pour reconnaître l'année 1158 comme celle de la fondation de la cathédrale.

La date, proposée par Antinori, se place en effet logiquement après la visite de l'évêque Guy II à la cour de Guillaume de Sicile pour obtenir la permission de reconstruire l'église détruite deux années plus tôt par l'incendie allumé par les troupes du comte de Loretello.

Une ancienne publication relative à la vie de saint Bérard nous fait savoir que la nouvelle cathédrale fut entièrement reconstruite à 100 m de l'ancienne (Santa Maria Aprutiensis, puis San Getulio), cette dernière étant irrécupérable en raison des graves dommages subis dans l'incendie de la ville.

En ce qui concerne les constructions antérieures à l'endroit de la nouvelle basilique, dont parlent Muzii et d'autres, il n'existe pas jusqu'à présent de documents susceptibles de confirmer leur existence.

Une intéressante contribution à l'histoire de l'édifice a été fournie par L. Penna et G. Robba (Actes du XIXe congrès d'histoire de l'architecture. L'Aquila 1975) qui ont précisé les diverses campagnes de construction de l'église.

En 1174 les restes de saint Bérard furent solennellement transférés de l'ancienne cathédrale à la nouvelle, composée à ce moment du corps basilical à trois nefs avec colonnes et piliers, couverture en charpente apparente et d'un transept couvert d'une tour octogonale (au centre) et de voûtes d'arêtes (sur les bras).

La façade présentait une silhouette à rampants interrompus, trois portails (un par nef) et diverses fenêtres, parmi lesquelles une grande ouverture comme celles des Pouilles ouverte dans la nef centrale.

Au-dessus de la corniche horizontale, à la hauteur des versants du toit sur les nefs latérales, un parement de brique serré succédait au revêtement de pierre de taille de la zone inférieure.

Le projet du porche, dont il reste des traces d'arcs et deux piliers de part et d'autre de l'entrée principale, fut par contre abandonné très rapidement, peut-être, comme l'a dit Gavini, à cause de la difficulté de réaliser la partie centrale, si large par rapport aux ouvertures des travées latérales.

En 1332 l'évêque Nicolò degli Arcioni désira agrandir la cathédrale, en transformant complètement le caractère de son espace intérieur.

A la zone terminale de l'église, on rattacha en effet un autre corps de bâtiment divisé en trois nefs par deux grands piliers au point de rencontre des arcs transversaux et longitudinaux.

Le nouvel édifice surélevé de six marches et s'étendant selon un axe formant un angle avec celui de la première construction, vint ainsi prolonger la basilique de Guy, mais le maintien de l'autel majeur à son emplacement primitif au transept et la création d'une deuxième façade à l'extrémité de nouveau corps de bâtiment firent que l'ensemble se présenta plutôt comme deux églises réunies que comme un seul et unique édifice. Au cours de cette intervention, on remania aussi la façade du XIIe siècle : les murs terminaux des nefs latérales furent rehaussés jusqu'à la hauteur du toit de la nef centrale, donnant naissance à un couronnement horizontal (doté de créneaux) et l'entrée centrale fut pourvue d'un nouveau portail sculpté par Diodato Romano.

A part quelques travaux de peu d'importance, cette disposition demeura sans changement pendant trois siècles, jusqu'en 1739 où, pour obéir aux

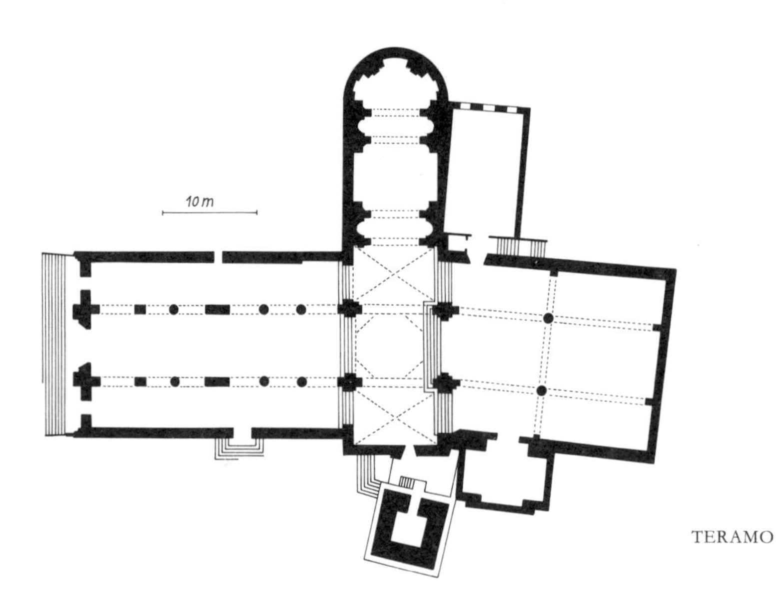

TERAMO

nouveaux canons du style baroque, furent modifiés les supports et la couverture (par l'introduction de coupoles et de voûtes en berceau), tandis que se modifiait la conception de l'espace intérieur, conçu cette fois comme une seule église, avec l'aile de l'évêque Nicolò entièrement affectée au sanctuaire.

La restauration moderne, exécutée entre 1932 et 1935, a voulu rétablir l'église dans la forme qu'elle avait avant l'intervention du XVIIIe siècle, s'appliquant aussi aux constructions avoisinantes, objet de démolitions ultérieures dans les années soixante.

Visite. *Le plan de l'ensemble monumental se compose actuellement des deux corps basilicaux reliés par le transept, sur lequel se greffe (à gauche) la chapelle baroque de saint Bérard et (à droite) un local qui mène au clocher de base carrée, élevé sans lien avec la cathédrale.*

Une autre petite chapelle se greffe sur la droite de l'aile du XIVe siècle, tandis que du côté opposé un grand portail du XVe introduit dans les locaux de la sacristie.

La façade principale de l'église, un rectangle précédé d'un bref escalier gardé par quatre lions en pierre, masque comme un rideau les différentes hauteurs des nefs. La surélévation des murs des nefs latérales en façade, œuvre du XIVe siècle, a été réalisée en blocs de pierre du côté gauche et en assises de briques alternées avec des assises de pierre du côté droit, avec un singulier effet de « rapiéçage ».

La crénelure gibeline, voulue par l'évêque pour souligner l'aspect temporel de son pouvoir, confère à la construction une allure sévère, tempérée par le fastueux portail central signé de Diodato Romano (MAGISTER DEODATUS DE URBE FECIT HOC OPUS MCCCXXXII). Ce portail, en plein cintre, présente trois ressauts avec des colonnettes d'angle à torsade et décor de mosaïque caractéristique de l'école cosmatesque; sur les côtés, deux courtes colonnes sur des lions stylophores portent les statues de l'ange de l'Annonciation et de la Vierge (attribuées à Nicola da Guardiagrele).

Au-dessus de l'entrée se dresse le fronton gothique (peut-être du XVe siècle) percé d'une grande fenêtre circulaire et orné de trois édicules avec des statues dues à l'artisanat local. Les deux portails latéraux sont sans décor. L'appareil serré en pierre de taille se continue au flanc de la cathédrale, interrompu par quelque fragment classique encastré dans la maçonnerie extérieure.

Le logement de la coupole octogonale (lui aussi crénelé) qui se dresse entre les versants du toit a été par contre allégé au moyen d'assises de briques alternant avec la pierre.

Le long du flanc droit, où s'ouvre une entrée secondaire précédée de quelques marches, un petit local relie l'église au clocher, construit à partir de la deuxième moitié du XIIe siècle et achevé à la fin du XVe siècle avec pour terminaison une flèche octogonale, œuvre d'un maître venant de Lodi qui inaugure avec cet exemplaire un type plusieurs fois repris dans la région de Teramo.

La face postérieure à rampants interrompus, conçue à l'origine comme une seconde façade, voit aujourd'hui son unique entrée centrale murée.

Un grand oculus aux verres colorés (au milieu) et de très longues fenêtres (sur les côtés) s'ouvrent dans le mur divisé en deux registres par une corniche horizontale.

Aux fidèles est réservée l'austère basilique de Guy, divisée en trois nefs par des arcs (six de chaque côté) en plein cintre rehaussés, sur de puissantes colonnes en pierre grise remplacées par des piliers rectangulaires en pierre de taille à la première et à la troisième arcade. Les colonnes, sur de hautes bases, se terminent par des chapiteaux cubiques sauf les deux dernières, coiffées de chapiteaux romains récupérés.

Le transept est réparti en trois zones par quatre robustes piliers polystyles, tandis que dans l'aile du

XIVe siècle, les grandes arcades brisées ont pour support deux très hauts piliers de section variée (octogonale et circulaire). Outre les grandes fenêtres rondes des faces terminales, la cathédrale reçoit la lumière de nombreuses autres ouvertures (fenêtres simples et oculus) qui permettent un éclairage uniforme de l'intérieur.

Après la démolition du plafond baroque ont réapparu les fermes en bois de la couverture primitive décorées des écussons bigarrés des chanoines.

Dans le sanctuaire, entre deux voûtes d'arêtes, s'insère la coupole octogonale (avec deux quartiers plus larges), raccordée aux piliers de la croisée par des niches angulaires.

Parmi les œuvres d'art conservées dans la cathédrale, signalons :

– l'antependium en argent de l'autel majeur, ciselé par Nicola da Guardiagrele entre 1433 et 1448;

– le polyptyque de Jacobello Del Fiore, exécuté au commencement du XVe siècle;

– six tableaux du peintre Majeski (XVIIe), conservés dans la sacristie.

SAN CL

MENTE A CASAURIA

TORRE DE PASSERI. SAN CLEMENTE A CASAURIA

Histoire

Isolée dans la haute vallée du Pescara, s'élève une des basiliques les plus représentatives de la tradition romane dans les Abruzzes, destinée à exercer son influence sur une très vaste étendue.

Son histoire, comme il arrive souvent dans ces monastères bénédictins, est marquée de vicissitudes variées : phases de décadence et périodes de prospérité économique, dévastations et restaurations en ont modelé l'aspect, nous laissant une œuvre d'une certaine complexité due à la compénétration et à la superposition de structures architecturales élaborées à des époques diverses.

Selon le témoignage du «Chronicon Casauriense», l'établissement monastique fut fondé en 871 par Louis II, en ex-voto pour sa délivrance de la prison du duc de Bénévent.

La localité choisie, aux environs du site romain d'Interpromnio, était en ce temps-là entourée comme une île par deux bras du Pescara et son nom «casa aurea» ou «casa Urii» (de Urios = Jupiter), confirme l'existence sur les lieux d'un antique temple païen (Rubini soutient par contre que le nom dérive du grec : Kasaura ou Kasora's qui signifie «lupanar»).

Dédié à l'origine à la Très Sainte Trinité, le monastère de Casauria reçut en 872 le titre de Saint-Clément, à l'occasion du transfert des reliques du saint dans la crypte de la basilique qui, peut-être précisément à cause du caractère sacré de sa destination, reste encore aujourd'hui l'unique témoin de l'édifice originel parvenu jusqu'à nous.

Le pillage effectué en 920 par les Sarrasins, et la destruction opérée en 1078 par le comte normand Hugues de Malmozzetto rendirent en effet nécessaires des restaurations radicales de l'église, reconsacrée en 1015 par l'abbé Grimaldus.

En 1152 l'abbé Leonate entreprit une grandiose transformation de l'ensemble, en faisant appel au concours d'ateliers d'un haut niveau technique et culturel.

L'œuvre monumentale de restructuration se poursuit dans le même esprit sous son successeur l'abbé Joël.

Les siècles suivants virent la décadence progressive du monastère bénédictin, non seulement pour des causes naturelles (tremblement de terre de 1348) mais surtout en raison de la négligence dont fut victime la construction.

L'édifice a été remis en état, selon les méthodes modernes de restauration, dans les premières décennies de ce siècle (sous la direction de I.C. Gavini) et encore à la fin des années 60.

Visite

La composition architecturale de la basilique de Casauria s'inscrit harmonieusement dans le milieu naturel ambiant, laissant percevoir la force des éléments robustes qui la composent, fruit d'une recherche dynamique de solutions plastiques et monumentales.

Les équipes méridionales appelées par Leonate opérèrent selon une méthode qui prévoyait la taille des blocs calcaires et leur insertion dans la maçonnerie grossière préexistante, restée visible en certains endroits.

Sur une structure où l'on reconnaît des inventions d'au-delà des Alpes, se constitua ainsi une ornementation où prenaient place des motifs issus de Campanie ou des Pouilles.

Chapiteaux au lourd décor de feuilles de palmier avec de petits arbres au milieu des caulicoles, frises naturalistes parcourues de nœuds, fleurs et palmettes, masques d'angle bizarres, animaux fantastiques déformés par leur effort pour s'intégrer aux schémas architecturaux, lourds personnages fixés dans la simplicité réaliste de l'attitude, doivent leur origine à une anthologie de formes où auraient successivement puisé les équipes à l'œuvre dans les Abruzzes.

Le plan de l'église est en croix latine, avec un transept peu saillant terminé par une seule abside centrale. L'espace est divisé en trois nefs par des piliers (pl. 10 et 11) et est précédé d'un porche extérieur (pl. 1).

Dans le prolongement du flanc droit de ce dernier se situent quelques salles de l'ancien monastère.

La solution choisie pour la façade entre 1176 et 1180 répond à un désir de lui donner plus de solennité : la silhouette à deux rampants de la façade est masquée par le grand narthex en blocs équarris percé de trois arcs profonds sur piliers polystyles (pl. 1).

Les arcades, celles du milieu en plein cintre et les latérales au cintre brisé, sont fortement soulignées par des voussures au dessin varié et préludent à la division tripartite de l'intérieur.

Aux quatre faces des piliers servant de supports s'adossent des colonnes issues de bases attiques, à l'exception des deux colonnettes en façade au centre posées sur des lions stylophores (dont il reste un seul exemplaire mutilé).

Les chapiteaux offrent une remarquable variété de motifs, qu'on peut ramener essentiellement à trois groupes :

– le type à motif de vannerie, composé d'un entrelacs de rubans et de palmettes;

– le type figuratif, avec des représentations de saints inscrites dans de petites arcades (pl. 2 et 3);

– le type floral, constitué de feuilles de palmier, caulicoles et fleurs en diverses combinaisons.

La même variété des éléments décoratifs se rencontre sur les voussures des arcs où alternent des motifs sculptés à «dents d'engrenage», à «pointes de diamant», à «bâtons brisés», etc., tous motifs qui étaient en train de se répandre dans les Abruzzes.

Sur les quatre colonnes en façade prennent appui des pilastres rectangulaires gravés d'une silhouette d'arbre (emblème du sceau abbatial) qui servent de piédestal aux symboles des évangélistes. De ceux-ci partent des colonnettes tressées qui coupent une frise de feuillage courant sur toute la largeur du porche et aboutissent au couronnement continu fait d'arceaux sur modillons, de l'école de Valva.

Le registre surmontant le porche semble dû à une intervention postérieure hâtive, car il est fait d'une simple maçonnerie grossière où s'insèrent, comme encastrées, quatre fenêtres doubles d'allure différente.

A l'intérieur du porche, couvert de voûtes d'arêtes, se présentent les trois portails d'entrée qui inaugurent une nouvelle typologie monumentale, développée à partir du schéma traditionnel à piédroits rectangulaires avec le linteau et arc de décharge. Le contour du portail central (pl. 4), enrichi de trois ressauts, est dotée d'un décor plastique qui occupe toute la surface disponible : sur les piédroits sont sculptés quatre figures de prophètes dans des niches, le linteau offre un champ pour un récit continu qui a pour objet le transfert des reliques de saint Clément, tandis qu'au tympan, entre de vigoureuses rosaces, sont représentés saint Clément sur un trône, saint Phoebus, saint Cornélius et l'abbé Leonate en train d'offrir la maquette de l'église (pl. 6).

Les deux portails latéraux présentent deux ressauts seulement et des sculptures, limitées au tympan, où figurent saint Michel terrassant le dragon (à gauche) (pl. 7) et la Vierge à l'Enfant (à droite) (pl. 8).

Sont particulièrement intéressantes les portes de bronze (pl. 5) exécutées au temps de l'abbé Joël, subdivisées en compartiments géométriques qui font connaître le nom de chaque château et chaque église sujets de l'abbaye.

Les colonnettes de la grosseur du cordon et les arceaux reviennent comme un leitmotiv pour caractériser les murs des flancs et le demi-cylindre saillant de l'abside où s'ouvre une élégante fenêtre entre des lions stylophores, du style des Pouilles (pl. 9).

La partie haute du chevet a été terminée pendant la campagne de restauration menée par Gavini, clairement distincte du revêtement originel en blocs de pierre.

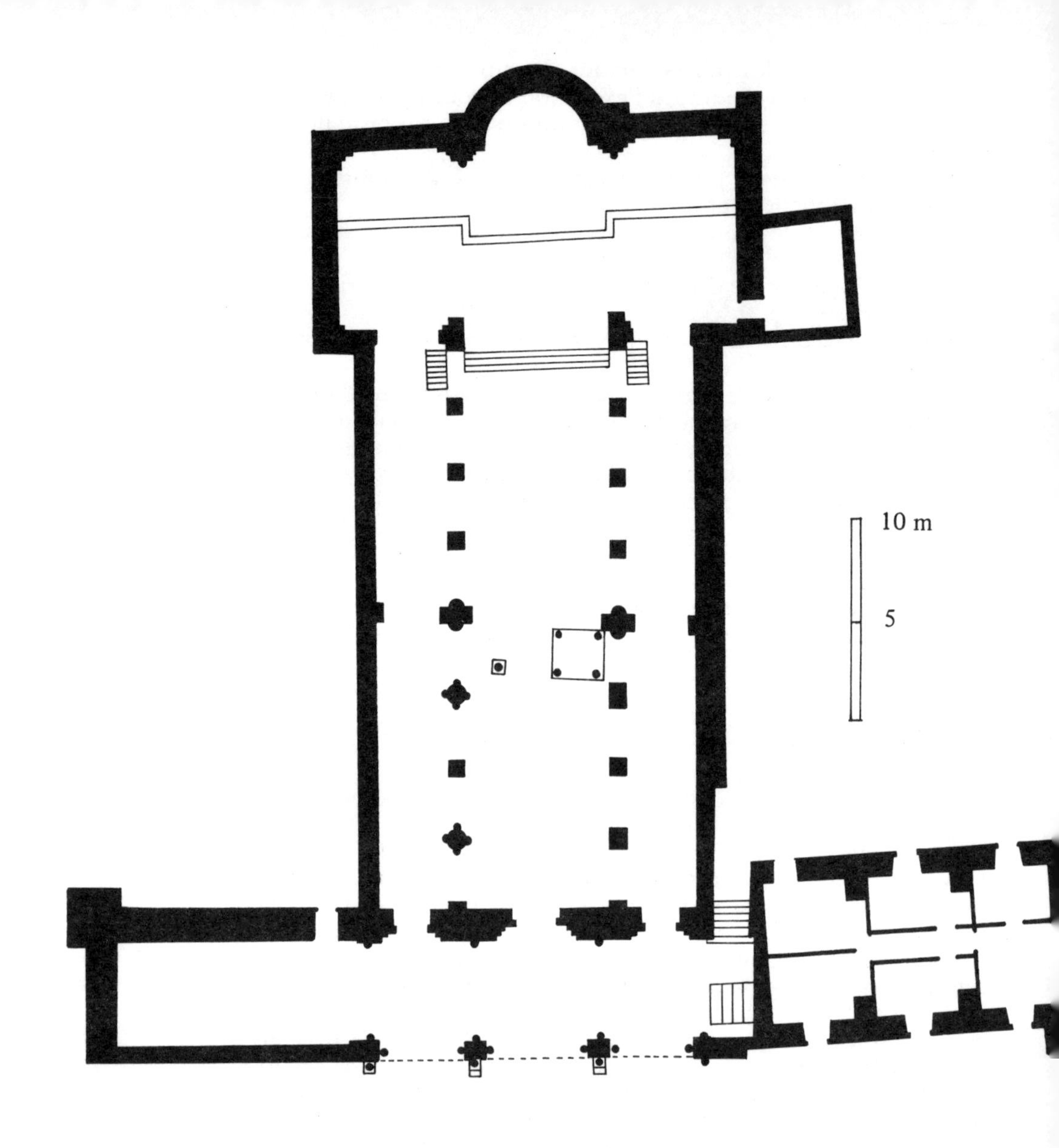
10 m
5

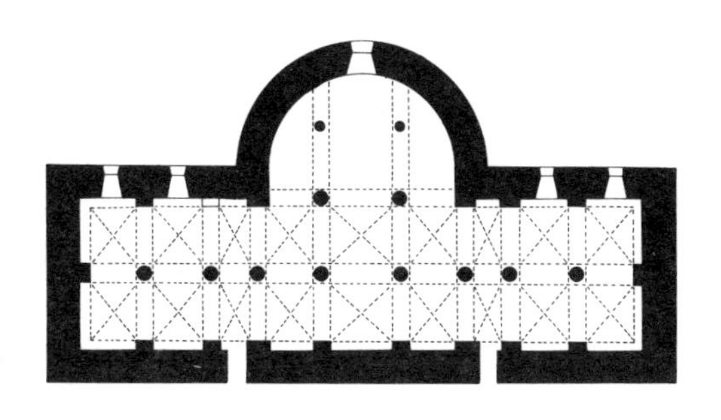

crypte

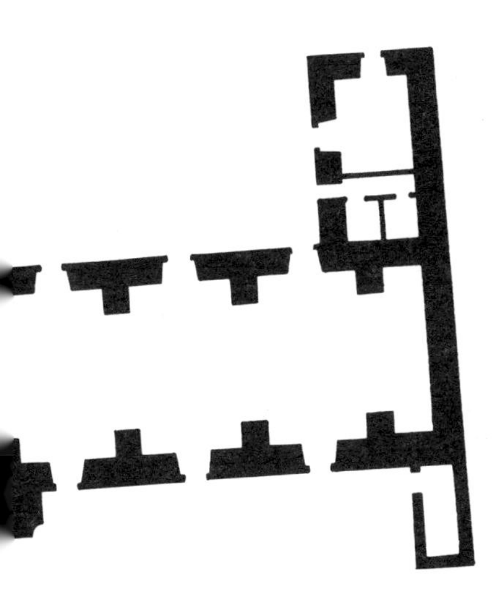

TORRE DE PASSERI
SAN CLEMENTE A CASAURIA

L'intérieur basilical à trois nefs, roman par la conception unifiée de l'espace qui se concrétise en masses denses et enveloppantes, accueille certains éléments du gothique transalpin rapidement assimilés par les équipes ou transmis directement par des maîtres français : la puissante opposition des volumes se trouve allégée par la galerie aux arcs en tiers point d'un oratoire au revers de la façade (reconstruite durant les restaurations dirigées par Gavini) (pl. 10) et des hauts arcs brisés à double rouleau qui retombent sur huit piliers de section variée (pl. 11).

Au milieu de la nef se situe un arc diaphragme qui marque la différence de niveau de la couverture, restée à une plus faible hauteur dans la moitié postérieure de l'édifice.

Gavini a estimé que la deuxième partie de la nef était d'une époque plus tardive que celle de Leonate et de ses continuateurs (comme le confirme l'emploi de la pierraille pour les murs et les piliers au lieu de la pierre de taille) sans pouvoir la dater avec précision à cause des nombreuses reconstructions.

Les supports, dotés de bases, sont principalement de section rectangulaire, à l'exception du premier et du troisième support de gauche (de plan cruciforme), des deux piles qui reçoivent l'arc triomphal (constituées d'un pilier rectangulaire auquel s'adossent deux demi-colonnes) et des piliers fasciculés du sanctuaire.

Dans la première partie de la nef les piliers à section rectangulaire se terminent par des impostes en forte saillie avec de souples volutes végétales et des masques aux angles, tandis que les chapiteaux des demi-colonnes sont revêtus de feuilles recourbées qui en s'ouvrant laissent apparaître des arbres minuscules. Les supports cruciformes sont pourvus d'un motif linéaire d'une élégance raffinée, propre à la sensibilité transalpine. Sont également réduites à l'essentiel les impostes à simple listel qui couronnent les supports dans la deuxième partie de la basilique.

L'arrondi de l'abside, remontant à l'époque de Leonate, est flanqué de deux faisceaux de colonnes terminées par des chapiteaux qui sont en accord avec les fantaisies végétales déjà vues (pl. 12).

La nef centrale est tout entière parcourue par une corniche en pierre, d'ascendance bourguignonne, sur des modillons taillés en quart de cercle. La section de corniche qui décore la moitié postérieure de la nef a été refaite en 1609, comme l'atteste une inscription gravée sur les deux derniers modillons de gauche.

La lumière tombe des hautes fenêtres, ébrasées intérieurement, percées dans la partie antérieure de la nef centrale, laissant le reste de l'église dans une pénombre épaisse.

La couverture est aujourd'hui entièrement en charpente apparente, mais d'après Gavini la zone du sanctuaire devait être couverte de voûtes d'arêtes.

Le pavement uniforme est fait de dalles de pierre.

Quelques marches raccordent la nef au sanctuaire, où règne le ciborium attribué au XIVe siècle (pl. 12). Il est formé de quatre colonnes qui supportent de hauts panneaux percés d'un arc surbaissé trilobé et couverts d'une pyramide. Les chapiteaux, les corniches et les architraves reprennent des motifs végétaux du type de Casauria réinterprétés selon la sensibilité du XIVe siècle.

Parmi les décorations de la face principale trouvent place de petits panneaux qui représentent l'Annonciation (dans le bas) et une Vierge à l'Enfant entre des anges et les symboles des évangélistes (dans le haut).

Le long du marchepied de l'autel se déroule l'inscription suivante : MARTYRIS OSSA IACENT HAC TUMBA SACRA CLEMENTIS HIC PAULI DECUS EST ET PETRI IURA TENENTIS.

Entre le troisième et le quatrième pilier de droite se trouve la *chaire* (pl. 11) : un des exemplaires les plus beaux de la région.

Datable des environs de 1180, la chaire se compose d'un caisson à quatre côtés directement posé sur quatre colonnes aux chapiteaux ornés de feuilles de palmier.

Un décor imposant revêt toute la surface du garde-corps : les architraves parcourues de rinceaux forment le support d'un cadre de bordures chanfreinées à palmettes enserrant des panneaux décorés de rosaces vigoureuses et d'arbustes feuillus.

Sous le pupitre du côté de la nef centrale, deux plaques semi-circulaires portent un aigle et un lion en ronde-bosse (symboles des évangélistes saint Jean et saint Marc); de façon analogue sous le pupitre du côté opposé, disparu, devaient se trouver un ange et un taureau (symboles de saint Matthieu et de saint Luc).

Face à la chaire se trouve un *candélabre* pour le cierge pascal dont la partie terminale en mosaïque est attribuable à une époque plus tardive.

Dans le tableau incomplet des pièces d'avant l'an mil, la *crypte* de la basilique de Casauria constitue un document précieux en raison de sa parfaite intégrité respectée au cours des reconstructions successives pour son aspect irremplaçable d'espace sacré (pl. 13).

Le plan de cet espace, formé de matériaux variés d'origine romaine, ne coïncide pas avec celui du sanctuaire au-dessus, allongé de quelques mètres au cours des travaux de remise en état du XIIe siècle. Ainsi entre le mur du fond de la crypte et celui de l'église supérieure, il existe un espace fermé et inaccessible.

La crypte, au plafond très bas, que l'on atteint par deux petits escaliers aux côtés du sanctuaire, se divise en dix-huit travées plus une abside, formant une cavité vétuste écrasée sous des voûtes d'arêtes massives qu'une variété de tambours de colonnes, assemblés au hasard, semblent porter avec peine.

Les supports, divers par leur rayon et leur cannelures, sont dépourvus de base et surmontés de chapiteaux corinthiens de remploi ou de bases retournées.

DIMENSIONS DE S. CLEMENTE A CASAURIA

Longueur, porche compris : 48 m 90.
Largeur totale des nefs : 18 m 50.
Largeur du transept : 22 m 70.

CORFINIO

CATHÉDRALE DE VALVA A CORFINIO (SAN PELINO ET SAN ALESSANDRO)

Non loin de l'agglomération de Corfinio, l'ancienne cathédrale de Valva dominait l'entrée dans la ville par la Via Valeria.

Sur la «genèse» de l'ensemble demeurent encore des incertitudes. Selon la tradition, l'église aurait été élevée par les soins de Cyprus disciple de saint Pélin, au lieu de la sépulture du saint martyrisé vers le milieu du IVe siècle. Celidonio a cependant affirmé le caractère d'invraisemblance de cette donnée, considérée comme une légende beaucoup plus tardive (XIe-XIIe siècle).

Il semble cependant certain que l'édifice ait été dévasté par les Sarrasins (881) et par les Hongrois (937).

Des sources sûres rapportent que l'église fut radicalement rénovée par l'évêque Trasmondus (en même temps abbé de Casauria) entre 1075 et 1102 et achevée par l'évêque Gautier (1104-1124).

Ce fut l'une des plus importantes entreprises architecturales menées à bien par les communautés bénédictines, qui découvrirent dans les formes romanes parvenues désormais à leur maturité l'expression adéquate d'une foi religieuse rénovée.

La singularité de cet ensemble, composé de la basilique Saint-Pélin et de l'oratoire Saint-Alexandre (pl. 21) a fait naître bien des perplexités.

(suite à la p. 99)

TABLE DES PLANCHES

2

3

4

5

6

7

8

10

11

12

14

CORFINIO

16

17

18

19

21

22

23

24

ALBA FUCENS

30

32

33

34

35

37

38

Plusieurs hypothèses ont été avancées : Bindi a soutenu l'origine païenne de Saint-Alexandre tandis que Bertaux l'a considéré comme le commencement d'une basilique jamais terminée.

Demeure toutefois non résolu le problème de la relation entre les deux édifices, que Gavini tient pour étroitement associés (du fait que Saint-Alexandre n'a pas d'accès indépendant), contrairement à Moretti pour qui l'oratoire constitue une chapelle autonome et probablement antérieure à la basilique.

En 1229 l'ensemble fut dévasté par un incendie et quelques années plus tard (1235) fut remis en état par les soins du maître Justin de Chieti, comme le rappelle une plaque encastrée dans la première arcade de gauche.

La restauration de 1971, limitée pour Saint-Alexandre à des travaux de consolidation, a eu pour but de retrouver l'aspect de la basilique au XIIIe siècle, après l'avoir débarrassée des nombreux remaniements postérieurs.

Visite

Fondée sur les puissants vestiges de l'antique «Corfinium», la basilique de Valva apparaît comme une imbrication de corps géométriques : parallélépipède et demi-cylindres parcourus par une ceinture d'arceaux (pl. 21).

L'ensemble organique, qui s'affirma comme l'un des pôles de diffusion du roman lombard dans les Abruzzes, est le résultat de la reconstruction dirigée par Justin de Chieti mais garde dans ses lignes générales, dans ses supports et dans son décor de nombreux éléments antérieurs au milieu du XIIe siècle.

Le plan de l'édifice est tout à fait anormal par rapport aux autres exemples abruzzains. Il s'agit d'un schéma en croix latine à trois nefs et absides semi-circulaires, de mêmes dimensions, sur les trois côtés du sanctuaire.

Vers le milieu de la nef latérale de droite se greffe obliquement l'oratoire Saint-Alexandre, composé seulement d'un transept de quatre travées avec abside centrale.

Il est relié à l'église par un petit couloir à l'extrémité de gauche.

Au côté opposé est adossé le clocher, conçu également comme demeure fortifiée pour l'évêque.

Le matériau utilisé est comme toujours la pierre de taille avec remploi d'éléments antiques, à l'exception de quelque section due à la restauration et couverte d'un enduit blanc.

SAN PELINO

La face principale, donnant sur ce qui était la Via Valeria, représente évidemment une solution incomplète et de remplacement.

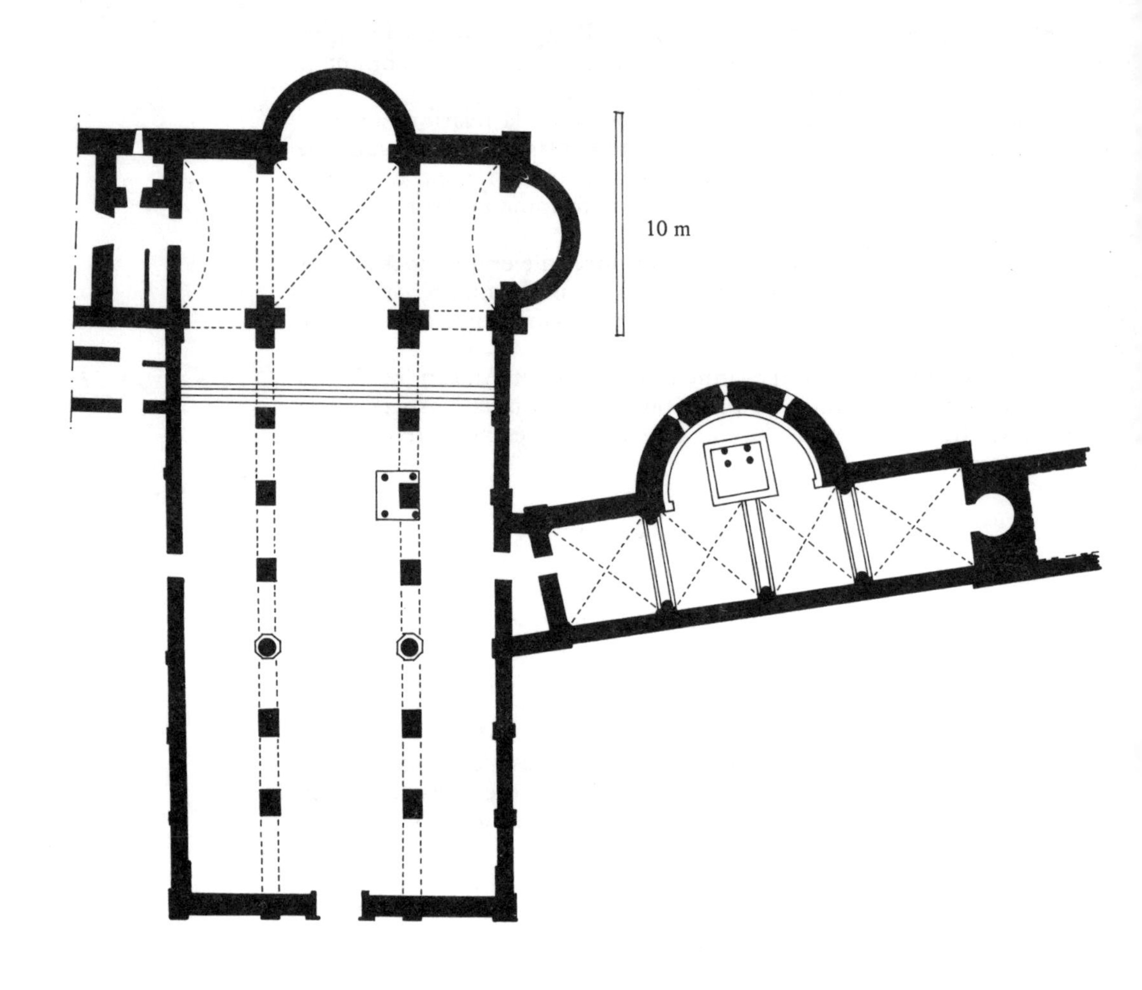

CORFINIO
cathédrale de Valva

Le registre supérieur, qui remonte très probablement à une intervention d'époque postérieure, présente un profil à rampants avec un couronnement horizontal au-dessus de la nef centrale.

On distingue nettement, par rapport au registre inférieur, la différente technique adoptée pour la maçonnerie et constituée d'un parement irrégulier de blocs où sont encastrés des fragments pré-romans.

Au milieu s'ouvre un portail unique surmonté d'une simple archivolte de la même largeur que les piédroits; de part et d'autre, deux arcades aveugles à pilastres semblent suggérer l'ancien projet d'un porche (jamais exécuté) (pl. 15). Le décor à rinceaux des piédroits et du linteau et les deux chapiteaux des deux pilastres médians sont de style classique, reproduits d'une main sûre.

Détail curieux : le motif ornemental du portail est repris d'un fragment classique encastré dans le mur de Saint-Alexandre.

Le chevet, qui représente du point de vue artistique la partie la plus achevée de tout l'ensemble, est dominé par la présence de la très belle abside achevée au XIIIe siècle (pl. coul. p. 81).

Le haut demi-cylindre est divisé en quatre registres qui en allègent la masse.

Le long du registre au-dessus du haut soubassement se font suite de fines colonnettes dont le rythme est interrompu par trois fenêtres dans l'une desquelles est fixée une délicate claustra de pierre (pl. 19).

Au-dessus de ce registre se déploie un bandeau composé de neuf plaques sculptées d'une broderie de fleurs et de motifs géométriques.

Le registre suivant est scandé d'une fausse galerie inspirée par l'architecture du Nord, posée sur des animaux stylophores, tandis que le dernier étage se termine par le couronnement d'arceaux habituel (pl. 16).

A l'intérieur des arcs de la fausse galerie trouvent place des bas-reliefs de grande valeur, qui constituent un fait unique dans la région.

Le caractère particulier de cette abside est souligné par la taille à facettes de l'arrondi qui renvoie la lumière de façon picturale.

Le résultat d'ensemble est celui d'une heureuse alternance entre les lignes horizontales et verticales, entre les reliefs et les ajours, entre les pleins et les vides, selon un goût typiquement byzantin pour la préciosité du dessin et de la gradation colorée.

Les flancs de la basilique, percés de hautes fenêtres ébrasées, s'élèvent en deux registres, renforcés de fines lésènes et d'arceaux aveugles sur modillons encadrant des métopes (pl. 17). Du côté gauche (auquel s'est adossée la sacristie, masquant l'abside du transept) s'ouvre un portail secondaire, tandis que le haut du mur est creusé d'une série d'arceaux aveugles (en partie éliminés par une restauration postérieure).

L'intérieur de la basilique est aéré et élancé, bien calculé pour les proportions des quatorze piliers qui divisent l'espace en trois nefs (pl. 20).

Les arcs légèrement brisés confirment le réaménagement de 1235. La grande frise classique au-dessus des arcades a presque entièrement disparu.

Les piliers, sur des bases pour la plupart, sont de section carrée, à l'exception de ceux de la troisième arcade (rendus octogonaux par un chanfrein terminé par une «griffe») et des supports polystyles du sanctuaire.

Des chapiteaux originels, abîmés par les remaniements baroques, il ne reste que l'ombre. Il devait s'agir d'impostes sculptées de motifs végétaux d'inspiration classique, comme le laissent voir quelques fragments sauvegardés.

Le pavement, tout en dalles de pierre, est semblable aux murs, tandis que la couverture est à charpente apparente dans les nefs et faite d'une voûte en berceau dans le sanctuaire.

Au cinquième pilier de droite s'adosse une chaire (pl. 22) que l'on peut dater d'entre 1168 et 1178, époque où est installé sur le siège épiscopal Oderisius de Raiano, mentionné dans l'inscription figurant sur le parapet : PONTIFICUM SPLENDOR PRESUL PEUNE BEATE HOC AB ODORISIO SUSCIPE MARTIR OPUS CUIUS IN EXCELSIS PETIMUS PROTECTOR ADESTO ET IDOLERICI TU PIUS ESO MEMOR.

Cette chaire se rattache à un modèle répandu dans la région et se situe avant les exemples de Saint-Clément à Casauria et de Sainte-Marie à Bominaco.

Quatre colonnes aux vigoureux chapiteaux portent un caisson carré aux parapets formés de panneaux dont celui du milieu est un demi-cylindre.

Les éléments géométriques des architraves et des encadrements tout comme les rosaces des panneaux font partie d'un répertoire de motifs de diverses provenances.

SAN ALESSANDRO

Les murs extérieurs présentent certaines anomalies que Gavini a considéré comme des «repentirs en cours de construction» : du côté de la Via Valeria le parement n'est pas homogène et est en retrait de quelques centimètres par rapport à la tour; une fenêtre allongée a été murée (elle gênait probablement la division interne en quatre travées); enfin les arceaux de couronnement ne sont pas alignés sur la corniche de la tour.

L'intérieur est divisé en quatre travées couvertes de voûtes d'arêtes qui retombent sur des demi-colonnes adossées aux murs (pl. 25), tandis que l'arc central est reçu par une console au-dessus du cul-de-four absidal (pl. 26).

L'abside, à l'ample arc d'entrée retombant presque jusqu'au sol et bordé d'un sourcil classique, est éclairée par trois archères entre lesquelles se trouvent des fresques du XIVe siècle avec des figures de saints (pl. 25).

A l'extrémité de droite de l'oratoire s'adosse une tour incomplète, coupée à la hauteur du deuxième étage.

A l'intérieur se trouvait l'appartement de l'abbé-évêque, destiné à servir de refuge en cas de danger.

Le donjon est marqué d'une corniche classique séparant les étages sur laquelle sont posés des chapiteaux corinthiens romains réutilisés comme ornement.

☆

Nombreux sont les fragments d'autres édifices encastrés dans la construction de la cathédrale de Valva. Dans le mur de Saint-Alexandre sont fixés des pierres de l'antique Corfinium (pl. 24) et du cimetière paléochrétien jadis à l'emplacement de la basilique.

Des plaques des IXe, Xe, XIe siècles se trouvent à l'intérieur des arceaux de couronnement de Saint-Pélin. Ce sont des bas-reliefs avec des animaux, des monstres et de grandes fleurs au modelé rustique (pl. 18).

DIMENSIONS DE VALVA A CORFINIO

SAN PELINO

Largeur (hors œuvre) : 16 m 50.
Longueur (hors œuvre) : 39 m 50.
Largeur de la nef centrale : 6 m.

SAN ALESSANDRO

Largeur : 21 m 60.
Abside : 11 m 60.
Nefs : 5 m 10.

ALBA FUCENS

ALBE (ALBA FUCENS) SAN PIETRO

L'église Saint-Pierre s'est élevée sur les restes d'un temple païen dédié à Apollon au sommet d'une colline sur l'ancien site romain d'Alba Fucens (pl. 27).

La première mention officielle de Saint-Pierre apparaît seulement en 1115, dans une bulle de Pascal II (où l'on confirmait les droits exercés par l'évêque des Marses sur certaines églises, parmi lesquelles Saint-Pierre), mais l'utilisation chrétienne du temple est attestée par des fragments de plaques ou de croix remontant au VIe siècle, ainsi que par des graffiti muraux datant du haut Moyen Age qui se sont ajoutés aux inscriptions de l'Antiquité tardive.

Parmi celles-ci, est particulièrement intéressant le dessin d'un bateau portant le nom de NAVIS TETETRIS LONGA (ex-voto d'un marin des temps anciens) sur la porte Nord, et l'inscription qui rappelle la réparation du temple d'Apollon sur la porte Sud.

L'histoire de l'édifice est marquée de fréquents changements de propriétaires : si jusqu'en 1115 il appartenait à l'évêque des Marses, celui-ci dut ensuite le céder aux bénédictins du monastère voisin de Sant'Angelo in Albe, partie d'un territoire donné par Louis II au Mont-Cassin en 872.

En 1310 il passe aux mineurs conventuels. Sous le pontificat d'Innocent X (1644-1655), il fut attribué au séminaire des Marses mais resta en fait à l'usage des moines. Puis il passa au Domaine de l'État et en 1874 fut cédé à la commune de Massa d'Albe, pour revenir par la suite au Domaine de l'État.

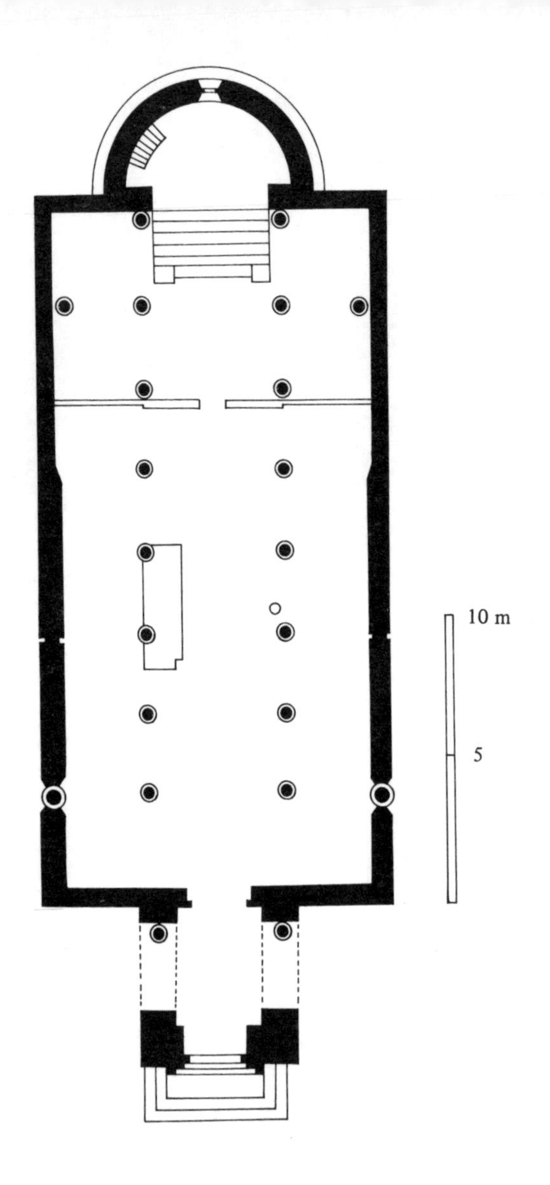

ALBA FUCENS
SAN PIETRO

Du point de vue de la structure, l'édifice est complexe.

Selon Delogu, qui a dirigé la dernière restauration, la transformation du temple en église remonte au XIIe siècle, au moment de l'arrivée des bénédictins.

Sur l'ossature du temple italique encore bien visible (la *cella* avec les deux portes et les colonnes toscanes du pronaos) fut construite la basilique :

– en prolongeant l'espace jusqu'à atteindre le rapport canonique de 1 à 2 entre la largeur et la longueur et en divisant l'espace en trois nefs au moyen de deux rangées de colonnes classiques remployées;

– en ajoutant une abside semi-circulaire;

– en surélevant le sanctuaire pour donner de l'espace à la crypte située au-dessous;

– en voûtant d'arêtes la dernière travée;

– en aménageant la façade par l'adossement d'un clocher;

– en délimitant le sanctuaire par une iconostase.

Une inscription sur un petit pilier de cette iconostase plus ancienne (conservée au musée national des Abruzzes) nous fournit le nom du commanditaire, l'abbé Oderisius, et des artisans de l'œuvre, le maître Gautier assisté de Morontus et de Pierre :

ABAS ODERISIUS FIERI FECIT
MAGISTER GUALTERIUS CUM
MORONTO ET PETRUS FECIT HOC OPUS.

Moretti a émis l'hypothèse que les colonnes classiques n'aient pas été introduites en cette phase de la construction mais à une époque antérieure, peut-être au VIe siècle au cours de probables travaux d'adaptation au nouveau culte. L'hypothèse est confirmée par la parfaite conservation des colonnes qui pourrait s'expliquer par cette rapide réutilisation.

La transformation du temple en basilique remonterait ainsi à la période paléochrétienne, et en ce cas il ne semble pas possible d'exclure que les deux colonnes adossées au mur du sanctuaire aient été à l'origine placées de part et d'autre de l'entrée centrale comme support du premier arc, pour être ensuite transférées à leur emplacement actuel au moment de l'intervention du XIIe siècle, devenant alors des points d'appui pour les voûtes d'arêtes romanes.

L'aménagement roman se serait ainsi limité aux autres modifications mentionnées plus haut.

Delogu a formulé l'hypothèse d'une reconstruction de l'abside romane à une époque voisine de celle de sa première construction, probablement à la suite d'un écroulement dû à une secousse sismique. Son hypothèse s'appuie sur les observations suivantes :

– le couronnement d'arceaux sur modillons de l'abside est le résultat de deux interventions différentes, clairement distinctes : les arceaux du huitième au seizième (en partant de la gauche) présentent un moindre rayon et un décor différent (à palmette, avec des rosaces sur les tympans) par rapport aux autres attribués à l'école de Gautier, Morontus et Pierre, ornés de rubans en zigzag et avec des figures monstrueuses sur les tympans;

– la fenêtre centrale est attribuable à la deuxième intervention, car décorée de palmettes identiques à celles des arcs ajoutés;

– les travaux de réfection après le tremblement de terre de 1915 ont remis au jour quelques arceaux du premier couronnement, utilisés comme matériau de construction.

Une destruction partielle due à une secousse sismique expliquerait aussi le remplacement du mobilier de l'église entre 1210 et 1220, effectué si peu après l'intervention dirigée par Gautier, grâce à des marbriers romains qui réalisèrent une chaire (pl. 34), une nouvelle iconostase (pl. 37) et un ciborium (disparu) de type cosmatesque.

Aux siècles suivants l'église subit d'autres remaniements, parmi lesquels l'introduction d'une chapelle gothique au XIVe siècle, un décor de fresques murales (en partie disparues) entre le XIVe et le XVe siècle, un réaménagement de la façade au XVe siècle et l'adjonction de lourds autels à l'époque baroque.

En janvier 1915, un violent tremblement de terre endommagea gravement l'édifice qui fut remis en état de 1955 à 1958, par un long et patient travail de reconstruction et de restauration, destiné à consolider les structures par des châssis de ciment armé (à cause de la fréquence des tremblements de terre en cette région) et à rendre à la basilique un aspect significatif sans la priver des précieuses traces laissées par chacune des campagnes de construction (comme les colonnes toscanes insérées entre le mur et les restes de la chapelle gothique).

Par contre on supprima complètement les encombrants autels et les bustes-reliquaires de style baroque, les remplaçant par un autel simple et élégant (pl. 36) avec un antependium retrouvé au cours des travaux.

Visite

Après la dernière restauration l'église Saint-Pierre est réapparue dans toute la pureté de ses lignes architecturales. Le schéma de la construction est simple.

Le plan est basilical à trois nefs, séparées par seize colonnes corinthiennes romaines de remploi (pl. 31). L'espace se termine par le grand arrondi de l'abside où se trouve l'autel surélevé de sept marches pour faire place à la minuscule crypte au-dessous (à laquelle on accède par un petit escalier près de l'autel).

Le clocher adossé au milieu de la façade (pl. 27) crée un espace rectangulaire qui précède l'entrée proprement dite de l'église.

Le matériau prédominant est la pierre en moellons, en partie due à la restauration (reconnaissable à la couleur claire) à laquelle s'ajoutent des matériaux classiques récupérés; à l'intérieur, l'arrondi de l'abside, les arcades et certaines parties des murs sont revêtus d'un enduit.

Lorsqu'on examine ensuite l'extérieur de l'édifice, on remarque que la façade à deux rampants est presque complètement masquée par le parallélépipède du clocher en forte saillie, dont on ne trouve que très peu d'autres exemples dans les Abruzzes : à Saint-Guy in Valle Castellana, à Sainte-Marie-Majeure de Guardiagrele et à San Cristinziano de San Martino alla Marrucina (écroulé en 1919).

La corniche horizontale de couronnement qui orne le clocher, son portail avec archivolte, remontent au XVe siècle comme le montre le style Renaissance du décor.

Les ouvertures latérales qui éclairent l'atrium d'entrée sont par contre constituées de matériaux classiques récupérés, tandis que le portail qui donne accès à l'intérieur de la basilique a été daté par Moretti de 1132 par analogie avec le portail de Sainte-Marie in Cellis à Carsoli dont il reprend le motif de rinceaux sur les piédroits, le linteau et l'archivolte (pl. 30).

Au chevet domine la masse imposante de l'abside, posée sur une robuste plinthe et couronnée d'arceaux sur modillons (pl. 29) qui offrent d'exubérantes formes plastiques de fleurs et de masques apotropaïques (pl. 28), écho de la tradition de Valva.

L'espace intérieur de la basilique, rythmé par la très belle colonnade corinthienne (pl. 31) et enrichi des brillants effets de couleur du mobilier cosmatesque, est le résultat du mélange équilibré de médiéval et de classique. Résultat assez réussi (malgré la touche glaciale de la restauration) qui trouve son sommet dans le petit autel roman (pl. 36) au haut des quelques marches du chœur, au-delà de la légère cloison de l'iconostase (pl. 37).

Les sveltes fûts cannelés des colonnes classiques sont dotés de bases et coiffés de chapiteaux corinthiens d'une facture raffinée.

Au-dessus d'eux sont lancés seize arcs en plein cintre, huit de chaque côté.

De rares petites fenêtres dans les nefs latérales et une fenêtre simple percée dans l'abside permettent une faible répartition de lumière qui estompe les surfaces internes de l'église.

Le pavement, en pierre, a été mis à niveau par la dernière restauration sans que soit rétabli (par le choix des restaurateurs) le terre-plein du sanctuaire, limitant la surélévation au chœur, raccordé ensuite à la nef par un simple escalier de sept marches.

Une couverture à charpente apparente a remplacé le plafond à caissons, installé à la Renaissance et détruit par le tremblement de terre.

Deux colonnes adossées aux murs des nefs latérales à la hauteur de la dernière travée sont là pour témoigner qu'à cet endroit les trois nefs devaient à l'origine être couvertes de voûtes d'arêtes.

Dans la première travée de la nef latérale de droite ont été laissés les vestiges de la chapelle gothique qui était dotée d'une voûte basse en croisée d'ogives.

Dans les murs gouttereaux, toujours à la hauteur de la première travée, sont encastrées les deux colonnes toscanes, restes du temple antique.

Par ailleurs des vestiges du temple païen sont visibles à l'intérieur de la crypte, où l'on conserve un sarcophage avec un bas-relief attribuable au haut Moyen Age. Il s'agit d'un des nombreux témoins qui attestent l'utilisation chrétienne de l'édifice à une époque très ancienne. Le décor est très simple, limité à la représentation de quelques symboles essentiels selon la coutume des premiers chrétiens : une croix, un agneau (emblème du Christ Agnus Dei) et une fleur (pl. 38), élément très fréquemment utilisé dans les ornementations abruzzaines sur des chancels, des panneaux, des linteaux.

FRESQUES

A cheval sur les XIVe et XVe siècles a été exécutée, le long des murs latéraux de l'église, une série de fresques réparties en tableaux dont subsistent quelques parties qui représentent :

attribuées au milieu napolitain du XIVe siècle
– La Vierge à l'Enfant.
– Le Couronnement de la Vierge.
– La Madeleine.
– La Crucifixion.

attribuables au XVe siècle en raison du mouvement plus aisé des personnages et du traitement du drapé
– Saint Antoine abbé.
– Saint Jacques.

MOBILIER

Isolé dans l'arrondi du chœur et éclairé par la fenêtre absidale, l'antependium roman, repris dans l'autel, s'insère de façon parfaitement naturelle dans les lignes architecturales de l'intérieur de la basilique, soit par ses dimensions modestes, soit par la sobriété parlante du décor sculpté, constitué par deux grandes fleurs au centre d'un fond d'entrelacs (pl. 37).

Le mobilier cosmatesque, chaire (pl. 34) et iconostase (mutilée par la perte d'un second étage de colonnettes) (pl. 36) est revêtu de mosaïques et de marbres qui donnent naissance à d'élégantes fantaisies géométriques. Des cercles, des carrés, des rectangles, aux coloris sombres et intenses sur fond clair, se mêlent en diverses combinaisons rendues scintillantes par l'or des incrustations.

La chaire, entre la troisième et la quatrième colonne de gauche, se compose de deux montées bordées de rampes qui mènent aux lutrins, décorés de colonnes torses. Une inscription indique les auteurs de l'œuvre :

\+ CIVIS ROMAN DOCTISSIMUS ARTE IOHS CUI
COLLEGA BONUS ANDREAS DETULIT HONUS
HOC OPUS EXELSUM STRUSSERUNT MENTE
PERITI NOBILIS ET PRUDENS ODERISIUS
ABFUIT ABAS.

Deux panneaux, sur lesquels prennent appui des colonnettes torses semblables avec un ruban de mosaïques et surmontées d'une architrave, forment l'iconostase placée à la hauteur de la sixième colonne (pl. 36).

Face à la chaire se trouve le chandelier pascal, composé d'une colonne romaine et d'un chapiteau du XIIIe siècle.

DIMENSIONS DE SAN PIETRO IN ALBE

Largeur dans œuvre à l'entrée : 11 m 30.
Largeur dans œuvre au sanctuaire : 11 m 70.
Longueur dans œuvre sans l'abside : 23 m 70.

ROSCIOLO

ROSCIOLO. SANTA MARIA IN VALLE PORCLANETA

Histoire

L'église Santa Maria in Valle Porclaneta est située dans une région montagneuse et solitaire, dominée par le sommet du Velino. Les sources nous font connaître l'existence d'un monastère dédié à sainte Marie dans la vallée «Porcanica» depuis la première moitié du XIe siècle.

Antinori soutient qu'en 1077 un certain Bérard de Bérard, comte des Marses, fit don du château de Rosciolo au monastère, et Lubin prouve qu'en 1080 l'abbaye passa au Mont-Cassin.

Avec l'arrivée des moines bénédictins au monastère Sainte-Marie, commença la réfection du bâtiment sur la base de l'ensemble de normes architecturales établies par les équipes cassinaises.

Tous ces renseignements sont attestés par deux inscriptions lapidaires encastrées dans les piliers du pronaos.

Celle de gauche indique le nom du premier donateur Bérard de Bérard («*Huius ecclesie priores tue rasat et largitor ipse ques probus omo sibi augeat onor Berardus Bonomine*»); celle de droite fait connaître celui qui a exécuté le travail, un certain maître Nicolas dont les réalisations sont précisément datables des environs de 1080 («*Hoc opus est clari manibus factum Nicolai cui laus viventi cui sit reques morienti vivus onoretur moriens super astra locetum – Vosquosque presentes et factum tale videntes iugite roretis quod regnet in arce quietis*») (pl. 40).

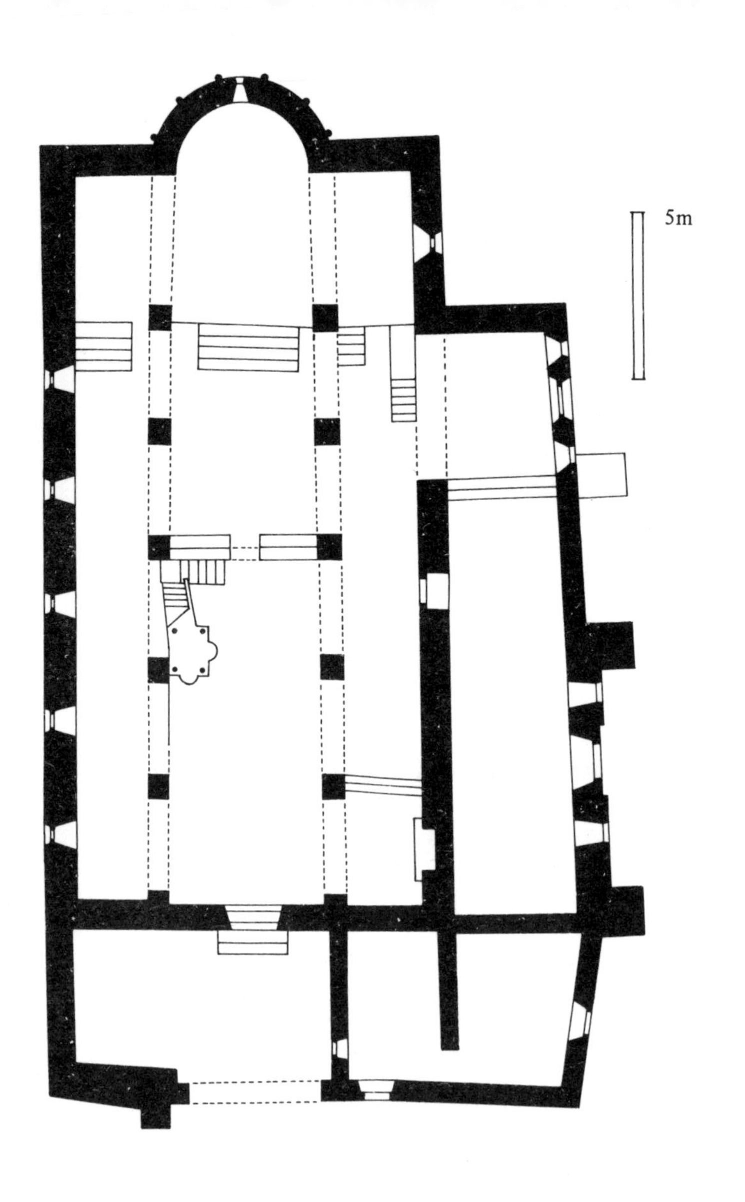

ROSCIOLO
SANTA MARIA
IN VALLE PORCLANETA

Dans la première moitié du XIIe siècle, l'église s'enrichit d'un ciborium, d'un ambon et d'une clôture de chœur (pl. 42), tandis qu'au siècle suivant l'abside fut pourvue extérieurement d'un précieux revêtement polygonal (pl. coul. p. 131).

En 1931, l'édifice fut restauré, et en 1967 furent menés à bien d'autres travaux pour la conservation du monument.

Visite

L'église constitue un élément architectural d'un grand intérêt, surtout par le décor et la richesse du mobilier.

Inspirée du modèle de San Liberatore a la Maiella, elle offre une somme peu ordinaire de motifs extrêmement variés (classiques, arabes, espagnols, byzantins, campaniens, lombards) repensés à travers la sensibilité et la technique locales.

Le plan est basilical à trois nefs séparées par des piliers; il se termine par une seule abside centrée (semi-circulaire intérieurement, pentagonale extérieurement) et est précédé d'un pronaos jadis relié au cloître (détruit). Du monastère autrefois adossé à l'église, il ne reste aucune trace.

Le long du côté droit de l'édifice s'adosse un corps longitudinal, placé à un niveau inférieur et communiquant avec l'intérieur de l'église par une grande arcade.

Pour ce qui est des matériaux utilisés, on constate qu'à l'intérieur la pierre de taille apparente est réservée aux arcs et aux piliers (tout le reste est couvert d'un enduit taloché) tandis qu'à l'extérieur la maçonnerie en moellons grossiers alterne avec des zones à belle surface en pierre de taille (chevet).

Cet emploi irrégulier des matériaux confère à l'édifice un caractère rural et modeste.

La façade à pignon, percée d'un petit portail gothique et d'un oculus dans la partie haute, est en grande partie cachée par un porche à une arcade, dépouillé et couvert d'un toit à deux versants.

A l'origine, en effet, une galerie s'adossait à la façade, et l'actuelle est le résultat d'une intervention hâtive d'époque postérieure. Outre l'entrée principale, l'édifice possède une porte latérale dans le flanc droit (épaulé par des sortes de contrefort) et une entrée cintrée en pierre qui de la galerie introduit dans le corps longitudinal de droite.

Au XIIIe siècle la partie extérieure de l'abside fut embellie d'un revêtement polyédrique à trois étages de colonnettes, au couronnement d'arceaux (pl. coul. p. 131). Les fines colonnes présentent des chapiteaux raffinés décorés de formes végétales, et dans quelques cas les bases sont remplacées par des lions stylophores (pl. 39). Le style pictural et décoratif adopté pour cette abside la met en relation évidente avec celle de Saint-Pélin à Corfinio.

L'espace interne de l'église, agréablement encombré de mobilier liturgique et à peine éclairé par de rares fenêtres ouvertes dans les nefs latérales, est défini par dix piliers de section carrée dépourvus de base recevant des arcs semi-circulaires (six par côté) (pl. 42).

Le pavement, reconstitué en 1967, est fait d'un dallage rustique avec trois petits escaliers pour relier les deux niveaux de l'espace intérieur, le sanctuaire étant surélevé à cause d'une crypte rectangulaire. La couverture est en bois, à charpente apparente.

Intérieur extrêmement simple, mais significatif par les sculptures en pierre, en stuc et en bois qui ornent le mobilier et qui révèlent une culture vivante et active, capable d'assimiler (en dépit de l'isolement où elle se trouve) des traditions et des nouveautés venues d'autres centres, pour les restituer à travers le filtre de sa propre expérience.

Gavini perle d'une véritable «école du bas-relief de Rosciolo» et distingue la main de maître Nicolas (enterré dans l'église même) de celles de ses élèves; une plus grande sûreté d'exécution se laisse voir en particulier dans le quatrième chapiteau de droite, dans les bas-reliefs du sarcophage qui contient la dépouille de l'artiste (pl. 41) et dans une plaque sculptée d'une Vierge à l'Enfant.

Cet archéologue reconnaît en outre la technique particulière de cette école dans «l'élargissement de la ligne gravée au moyen d'une incision, jusqu'à l'obtention des contours nets» (pl. 50 et 51).

Les chapiteaux des piliers dérivent clairement des corniches de San Liberatore à la Maiella, mais ajoutent aux éléments classiques (torsades, fusarolles, denticules, etc.) de nouveaux motifs de fantaisie (cercles, étoiles, zigzags, feuilles et tiges grossières, animaux monstrueux).

Moretti a remarqué une ressemblance stylistique entre ces chapiteaux et les linteaux originels de Saint-Pierre ad Oratorium, signe de la circulation des motifs.

Le *sarcophage,* à droite de l'entrée, est ouvragé de bas-reliefs qui représentent (au centre) l'Agnus Dei dans une couronne faite de tiges, flanqué de deux anges, et (sur les côtés) un coq et un sphinx, l'un et l'autre avec un visage d'homme barbu (pl. 41).

Gavini a soutenu que «les deux figures latérales, gravées sur la surface au moyen d'une incision profonde, comparées à la représentation centrale où le sujet ressort sur le fond uniformément creusé, marquent les deux extrêmes d'une méthode que le maître Nicolas avait enseignée à ses élèves en préparant sa tombe». Le listel de l'encadrement confirme le nom de l'exécutant : OPUS EST FATUM NICOLAUS Q. IACET HIC.

Le sarcophage est surmonté d'une arcade aux colonnettes torses, attribuable à une époque plus tardive comme le suggère l'arc brisé et un couronnement qui anticipe la «pointe de diamant».

Le fond de l'arcade était fresqué mais il ne reste que de très faibles traces de la peinture.

A la hauteur du troisième pilier s'élève l'*iconostase,* constituée d'une haute plinthe en pierre décorée de bas-reliefs (pl. 42-44).

Sur cette base s'élèvent quatre colonnettes (les deux du milieu en partie cannelées, en partie torses) qui supportent un linteau en bois gravé.

Les panneaux sculptés de gauche représentent des arcades aveugles bordées de motifs floraux (pl. 52), tandis que celles de droite présentent un groupement d'animaux apparemment fortuit (des oiseaux, un lion, un griffon, un dragon) (pl. 53). Une bordure moulurée d'une doucine droite et sculptée de feuilles d'acanthe termine la composition des panneaux.

On peut dater l'iconostase du milieu du XIIe siècle, mais les bas-reliefs en pierre pourraient être des pièces d'une époque antérieure réutilisées.

La chaire est placée contre la clôture du chœur entre le deuxième et le troisième pilier de gauche (pl. 44).

Deux inscriptions le long de la rampe de l'escalier d'accès (l'un des très rares qui nous restent) nous font connaître le nom des auteurs, Robert et Nicodème (INGENII CERTUS VARII MULTIQUE ROBERTUS HOC LEVIGATARUM NICODEMUS ADEQUE DOLATARUM) et la date de l'œuvre, octobre 1150 (MILLENUS CENTENUS QUINQUE DENUS EUM FUIT HOC FACTUM FLUX SEPTEN... VI MENSIS OCTOBER) (pl. 49).

Le caisson est porté par quatre colonnettes polygonales aux chapiteaux en tronc de pyramide, ornés de feuilles lancéolées, de caulicoles et de masques (pl. 43). Sur les colonnettes retombent les arcs dont ceux des faces antérieure et postérieure sont trilobés (motif d'origine arabe présent peut-être pour la première fois dans les Abruzzes). Les espaces au-dessus de la bordure des arcs sont remplis de rinceaux enchevêtrés où l'on distingue quelque petite figure humaine (pl. 45 à 48).

Du parapet demeurent seulement quelques éléments :

– l'avancée semi-cylindrique du côté de la nef (d'où à l'origine faisaient saillie les symboles des évangélistes);

– le panneau d'angle à sa droite, avec une colonnette en spirale sur l'arête;

– des fragments de bordure.

Tant la rampe de l'escalier que le parapet présentent des reliefs plastiques avec des scènes bibliques, surmontées d'une frise de petits arcs (pl. 49).

Dans les entrelacs qui figurent sur la bordure inférieure et sur le panneau d'angle on reconnaît des éléments décoratifs d'origine lombarde.

Le *ciborium* présente d'évidentes parentés stylistiques avec la chaire, au point de rendre certaine l'attribution de l'œuvre aux mêmes maîtres (Robert et Nicodème) et à la même époque (1150). En effet y sont semblables les colonnes et les bordures des arcs trilobés, qui supportent deux tambours octogonaux ajourés de minuscules arcatures (pl. 54).

On peut aussi relever des analogies manifestes avec le ciborium de Saint-Clément al Vomano, achevé à cette époque par les mêmes artistes.

FRESQUES

Dans l'église, il reste quelques fresques sur les murs et sur les piliers, avec des figures de saints; on peut les dater des XIVe-XVe siècles.

Sur le tympan de l'entrée est peinte une Vierge à l'Enfant entre des anges, attribuée à un artiste de l'école ombro-toscane du XVe siècle.

DIMENSIONS DE S. M. IN VALLE PORCLANETA

Longueur (hors œuvre) : 31 m 35.
Largeur (hors tout) : 12 m 75.

SAN LIBER

TORE A LA MAIELLA

SERRAMONACESCA. SAN LIBERATORE A LA MAIELLA

Histoire

Isolée dans la vallée de l'Alento, sur la pente Nord de la Maiella, la basilique San Liberatore est considérée comme un point de repère du renouveau artistique dans les Abruzzes après l'an mil. Par son caractère grandiose et la clarté de son tracé elle s'est en effet imposée comme modèle pour les entreprises architecturales ultérieures de la région, où ont conflué des expériences artisanales éprouvées, des éléments du répertoire classique réinterprétés selon un goût nouveau et des motifs de l'architecture romane lombarde.

Le monastère dont l'église faisait partie fut élevé de 1007 à 1019, par les soins du moine bénédictin Thibaut, à l'emplacement d'une précédente abbaye de l'ordre cassinais antérieure à 884, détruite par le tremblement de terre de 990.

En 1080, l'église fut rénovée à l'initiative de l'abbé du Mont-Cassin, Didier, comme l'affirme Pierre Diacre dans la «Chronique du Mont-Cassin» : «*Hoc etiam tempore iussu Desiderii pulchro satis opere in comitatu teatino innovata est ecclesia Sancti Liberatoris ab Adenulfo iam dicti loci praeposito*».

A ce sujet les opinions des historiens de l'art ne concordent pas. Des archéologues comme Bertaux et Gavini ont toujours soutenu la thèse d'une totale reconstruction de l'église ainsi que du monastère entre 1007 et 1019, considérant la rénovation plus tardive dont parle

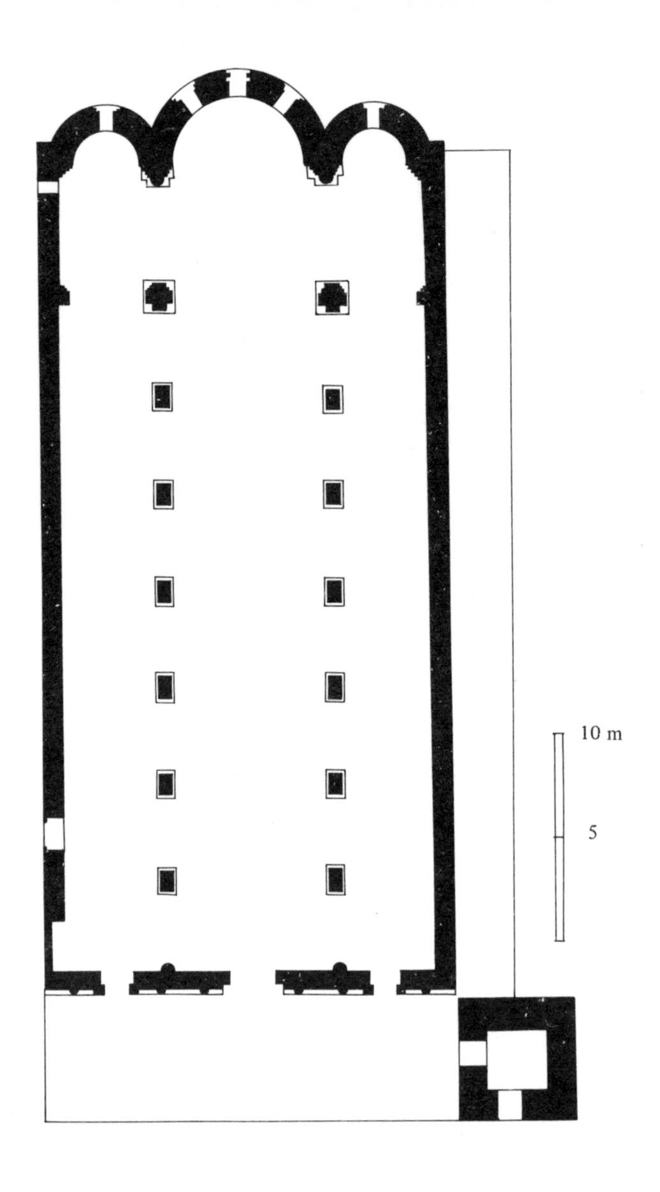

SERRAMONACESCA
SAN LIBERATORE
ALLA MAIELLA

Pierre Diacre comme se rapportant uniquement à certains éléments décoratifs. Plus récemment Toesca, Matthiae, Delogu et Fucinese se sont trouvés d'accord pour considérer que l'intervention de 1080 fut envisagée comme une véritable réfection de l'édifice.

A la fin du XVIe siècle (1595-1596) l'abbé du Mont-Cassin dom Basile de Brescia apporta certaines modifications au corps de l'église : fenêtres Renaissance dans la nef centrale, et peut-être un porche en façade (dont il ne reste rien).

Les temps qui suivirent furent témoin de la décadence progressive de l'ensemble monumental : au XVIIIe siècle la couverture de la nef centrale fut démolie et vendue; le pavement en mosaïque de cette même nef et les bas-reliefs de l'entrée centrale furent transférés à l'église paroissiale de Serramonacesca.

Abandonné à la négligence des temps, l'édifice ne fut plus qu'une ruine découverte, envahie par la végétation et utilisée comme cimetière. C'est seulement en 1967 que l'on commença une restauration complète qui nous a rendu les volumes puissants et les lignes harmonieuses originels de la basilique, à qui furent rendus les éléments jadis transférés à Serramonacesca.

Visite

Élevée sur une pente boisée, la basilique San Liberatore à la Maiella se présente comme une masse imposante de pierre claire, à peine marquée de fins éléments verticaux en saillie (pl. 55).

Les caractéristiques de l'édifice sont la valeur plastique des masses architecturales, l'équilibre des proportions et la rigueur du décor et des matériaux demeurés en leur état naturel.

L'œuvre laisse percevoir des liens avec le passé dans la reprise voulue de la tradition classique, discrètement présente dans les corniches et les moulures, tandis qu'elle se situe dans l'actualité par des solutions architecturales en provenance du Nord et transmises par des équipes lombardes itinérantes.

L'église a adopté le plan basilical à trois nefs, terminées par autant d'absides semi-circulaires et réparties en sept travées, outre le sanctuaire.

L'examen du plan fait apparaître certaines correspondances dans les proportions : la largeur de l'édifice est à peu près la moitié de sa longueur, et celle de la nef centrale est presque le double de celle des nefs latérales.

Le clocher, de plan carré, s'écarte de 20 cm de l'angle de droite de la façade et la mesure de son côté est approximativement égale à la largeur des nefs secondaires (pl. 55).

Le matériau du bâtiment est en grande partie constitué de bonne pierre de taille, sauf dans la partie supérieure du mur intérieur, en maçonnerie rustique.

La façade suit le schéma à rampants interrompus qui reflète la division tripartite de l'intérieur, dans un style typiquement lombard.

Trois entrées de dimensions modestes (celle du milieu est plus grande) introduisent dans les diverses nefs.

Au registre supérieur de la façade la restauration moderne a rouvert trois fenêtres marquées d'un triple retrait sur le parement, et au-dessus d'elles entre les rampants du toit s'inscrit un oculus.

Au registre inférieur le parement est marqué de fines demi-colonnes reliées par de petits arcs, tandis que la zone au-dessus est légèrement scandée de lésènes et terminée par un couronnement d'arceaux sur modillons sculptés de motifs géométriques et zoomorphes.

Les portails, parmi les plus anciens demeurant dans les Abruzzes, présentent un modèle très simple : piédroits rectangulaires, linteau monolithique et arc de décharge en plein cintre de la même largeur que les piédroits. Tous ces éléments sont décorés en bas relief (pl. 57).

Le portail central, un temps transféré à l'église paroissiale de Serramonacesca et revenu aujourd'hui à son emplacement initial, est dépourvu du linteau originel.

Les archivoltes des trois portails présentent un décor identique, fait de deux demi-couronnes concentriques (l'une en biseau) de palmettes stylisées.

Ont aussi des reliefs semblables le linteau du portail de gauche (pl. 57) et tous les piédroits, sauf un au portail situé à droite de la façade, caractérisé par des rinceaux grossiers (pl. 56).

Le linteau de ce portail présente une composition sculptée particulière avec deux félins microcéphales affrontés.

La technique d'exécution est plutôt grossière, en taille d'épargne, et atteste l'intervention d'au moins quatre artisans. Des archéologues comme Gavini, Bertaux et Moretti sont d'accord pour attribuer l'exécution des portails à la période 1080-1180, sous la direction du prieur Adenulfus. Ce qui est confirmé par la comparaison stylistique avec les portails de Saint-Pierre ad Oratorium (1100) et Saint-Clément al Vomano (1108) semblables par le schéma du décor. Les mêmes archéologues reconnaissent en outre dans les motifs ornementaux des éléments de souche orientale, que l'on trouve aussi dans les miniatures des manuscrits rassemblés au Mont-Cassin.

La série des lésènes et le couronnement d'arceaux sont repris le long du faîte des flancs et du chevet.

Ce chevet est disposé en parfaite conformité avec la façade dont il reprend le profil à rampants interrompus et l'oculus au sommet (pl. 58).

Les demi-cylindres des absides, celui du milieu plus important en hauteur et en diamètre, sont percés de fenêtres à triple ressaut : trois dans l'abside médiane et une dans chacune des absidioles.

L'intérieur basilical offre une perspective très aérée, rythmée par sept arcades en plein cintre aux piliers rectangulaires longeant chaque nef latérale (pl. 59).

La zone du sanctuaire était marquée de trois arcs triomphaux : celui du milieu, aujourd'hui détruit, n'est évoqué que par l'amorce de son départ. Ces arcs retombent sur des piliers cruciformes.

Les supports, dépourvus de base, semblent jaillir directement du sol, et au lieu de chapiteau se terminent par une imposte ornée d'éléments provenant de la culture classique : oves, denticules, torsades, etc.

Un décor semblable marque l'arc d'entrée du cul-de-four absidal et les sections de corniche qui courent au-dessous des fenêtres de la nef centrale, divisant le mur en deux registres.

L'ensemble se trouve ainsi extrêmement sobre et aligné sur un seul concept décoratif.

L'unique exception à cette harmonie ornementale d'ensemble est constitué par deux chapiteaux des demi-colonnes adossées aux flancs de l'abside, vague et grossière imitation du style corinthien.

Gavini, considérant leur emplacement dans la zone du sanctuaire (point de départ de tout édifice religieux), les tient pour les premiers essais des ateliers de San Liberatore. Inversement il attribue les chapiteaux des demi-colonnes au revers de la façade (l'un cubique à faces semi-circulaires, l'autre en pyramide tronquée renversée) à la dernière phase décorative de l'école dont ils révèlent une sûreté d'exécution nouvelle.

Les seize hautes fenêtres Renaissance qui éclairent la nef centrale ont remplacé à la fin du XVIe siècle les petites fenêtres originelles romanes (dont il reste quelque exemplaire dans les nefs latérales). Il s'agit de vastes ouvertures rectangulaires surmontées d'un fronton, parmi lesquelles celle au revers de la façade a été murée.

Dans la nef latérale de gauche s'ouvrent deux portes secondaires : l'une donnait accès au cloître, l'autre aux locaux monastiques. Cette dernière présente un linteau avec des fleurs en haut relief que Gavini estime être les plus anciens exemples de ce genre très répandu dans la région.

Le cul-de-four absidal présentait deux fresques superposées. Au cours des restaurations, la fresque la plus récente datable du XVIe siècle a été décollée et placée sur des panneaux.

Sont ainsi apparues des traces de la couche plus ancienne, avec des scènes de saints, attribuées à la deuxième moitié du XIIIe siècle.

La fresque du XVIe siècle représente le moine Thibaut en train d'offrir la maquette de l'église (thème iconographique fort répandu à l'époque) : cela pourrait constituer un document montrant comment l'église se présentait après les adjonctions du XVIe siècle.

Le pavement a été rétabli en pente ascendante, suivant celle du terrain.

Sur une portion de la nef majeure a été rétabli le jeu géométrique polychrome de la mosaïque cosmatesque, réalisée au XIIIe siècle et plus tard transférée dans l'église paroissiale de Serramonacesca.

La couverture de la nef centrale a été reconstruite selon l'aspect originel probable : en charpente apparente.

Les nefs latérales devaient présenter un plafond plat, comme le montrent les cavités dans le mur pour le logement des poutres transversales de soutènement. Elles ont aujourd'hui une couverture en charpente apparente due à la restauration.

Moretti soutient que le sanctuaire était couvert d'une voûte d'arêtes, non rétablie au moment de la restauration pour épargner les fenêtres Renaissance.

(suite à la p. 165)

TABLE DES PLANCHES

OPVS EST
MANIBVS
VIVENTI
MORIENTI
VIVVS ONORETVR
MORIENS
IVGITER ORETIS QVOD

40

41

42

43

45

46

47

48

49

SAN LIBERATORE ALLA MAIELLA ▶

57

60

◀ *MOSCUFO*

68

69

70

71

74

75

77

78

Selon Gavini seule la zone correspondant au sanctuaire dans les nefs latérales présentait des voûtes d'arêtes, actuellement remplacées par des voûtes en ciment apparent(!).

La *chaire* (pl. 61), du type à caisson posé directement sur quatre colonnes de base, a été reconstituée avec les quelques fragments conservés, qui permettent d'y retrouver de notables analogies avec les chaires de Saint-Clément à Casauria et de Saint-Pélin à Corfinio.

Les ressemblances se manifestent surtout dans les chapiteaux aux motifs de feuilles caractéristiques et dans les encadrements inspirés de Casauria.

Les panneaux offrent par contre un répertoire décoratif différent, avec des griffons et des volutes végétales, mais le dessin et la technique de réalisation sont identiques (pl. 60).

Moretti a donc attribué l'ambon aux mêmes ateliers et a proposé comme date 1180.

Le campanile (pl. 55), d'influence lombarde, présente trois étages percés successivement de fenêtres simples, doubles et triples. On y retrouve le même parti décoratif à lésènes et arceaux, tandis que des corniches d'étage bien marquées composées d'éléments classiques (cavets, torsades, denticules) accentuent la scansion du volume de la tour.

Les arcs des fenêtres sont reçus par des colonnettes avec d'énormes coussinets et de petits chapiteaux cubiques.

La fresque du XVIe siècle déjà mentionnée, primitivement dans l'abside centrale, semble témoigner que le clocher avait deux étages de plus terminés par un tronc de cône, mais on ne peut exclure qu'il s'agisse d'une addition due à la fantaisie du peintre.

Du monastère il ne reste que quelques pans de mur, à cause des éboulements provoqués par les phénomènes d'érosion dus au torrent Alento.

Au flanc de l'église du côté de la vallée s'appuyait le cloître, tandis que du côté montagne est encore debout une structure de contre-poussée, pour épauler la construction sur un terrain assez instable.

Le système se compose d'une succession d'arcs de soutien qui créent en perspective une succession d'un bel effet.

DIMENSIONS DE SAN LIBERATORE

Longueur (dans œuvre) sur l'axe principal : 42 m.
Largeur maxima : 20 m 50.
Largeur de la nef centrale : 7 m 76.

MOSCUFO

MOSCUFO. SANTA MARIA AL LAGO

Histoire

A faible distance de l'agglomération de Moscufo, s'élève l'église abbatiale Santa Maria del Lago.

Rubini (*Arte Sacra in Abruzzo*) soutient que le nom vient de «lucus» (bois) : l'endroit en effet est appelé encore aujourd'hui «Selvaielli» (Silva Lelii, forêt de Lellius), ce que confirme la présence d'une aire boisée, tandis que l'on n'a jamais trouvé trace de l'existence d'un lac en ce lieu.

L'édifice actuel remonte au milieu du XIIe siècle et se rattache à un type architectural répandu dans la zone comprise entre l'Adriatique et le massif du Gran Sasso, dont relève aussi Sant'Angelo di Pianella et Santa Maria delle Grazie de Civitaquana. Il s'agit d'une série d'édifices qui témoignent de la diffusion de modèles lombards et utilisent l'argile locale comme matériau de construction.

D'hypothétiques bâtiments antérieurs il ne reste pas trace : Bindi (dans *Monumenti storici artistici degli Abruzzi*) estime que l'origine de l'église doit se situer vers le VIIIe-IXe siècle, mais il n'a accrédité son hypothèse par aucun document.

L'édifice a été plusieurs fois remanié au cours des temps; il a en particulier subi de lourdes modifications au XVIIIe siècle, au temps de l'abbé Battista Mazzacava.

Il a été récemment restauré.

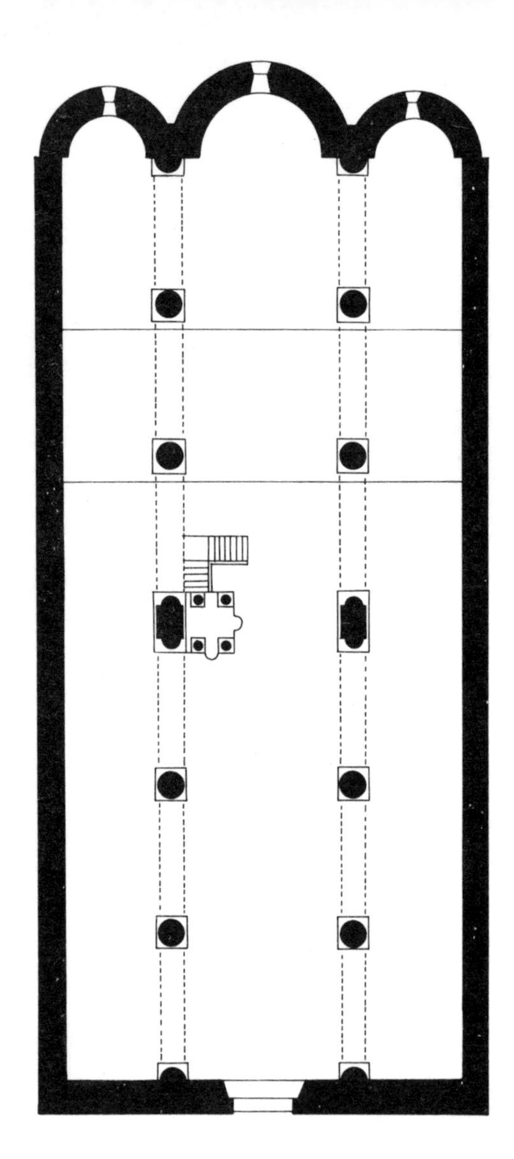

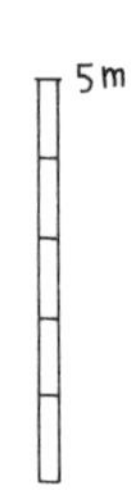

MOSCUFO
SANTA MARIA AL LAGO

L'église garde une rusticité naïve dans le libre emploi des matériaux locaux : brique (surtout) et pierre.

Le plan est basilical à trois nefs avec absides, séparées par six arcs en plein cintre de chaque côté, retombant sur quatre colonnes et deux grands piliers au centre (pl. 67).

L'exubérance caractérise par contre la polychromie décorative des fresques et de la chaire, œuvre d'une grande valeur artistique (pl. 66). La façade en brique, à pignon, ne garde du XIIe siècle que le portail en plein cintre (pl. 65) orné de bas-reliefs aux rinceaux fleuris où s'inscrivent les emblèmes du Christ et des évangélistes.

Au chevet demeurent les trois absides semi-circulaires dont le haut est orné d'arceaux et l'arrondi percé d'une fenêtre (pl. 62).

L'abside centrale, de plus grandes dimensions, est divisée en trois par de fines demi-colonnes et enrichie d'un décor de pierre et de brique au-dessus des arceaux du couronnement.

De plus, des fenêtres sont entourées d'intéressants bas-reliefs de tradition abruzzaine qui représentent des chiens poursuivant des cerfs (abside de droite) (pl. 63) et de souples sarments de vigne (sur l'abside centrale) (pl. 62).

L'intérieur se présente comme un espace d'un seul tenant; le sanctuaire est simplement surélevé.

La continuité spatiale n'est pas interrompue par la présence de deux piliers (formés d'un bloc rectangulaire auquel s'adossent deux demi-colonnes) qui s'insèrent au milieu de la nef dans la rangée des colonnes (pl. 67).

Tous les supports, faits de briques, sont pourvus de bases et sont posés sur des socles de forme et d'épaisseur diverses. Les chapiteaux ont été attribués par Gavini au maître qui a sculpté la chaire ainsi qu'aux artisans de son équipe.

L'archéologue a distingué deux groupes de chapiteaux :

– un premier groupe comprend les chapiteaux qui reprennent les formes cubiques traditionnelles et les motifs schématiques à feuilles isolées et raides;

– un second groupe rassemble ceux qui sont exécutés de façon plus soignée avec des feuilles de palmier marquées de nervures et d'un beau modelé, parmi lesquelles apparaissent parfois des figures d'après nature qui se rapprochent du type de sculpture de la chaire (pl. 74 et 75).

L'espace intérieur de l'église est jusque dans les détails fidèle à l'impression de simplicité rurale suggérée par une image plus globale de l'édifice.

Des fenêtres petites et peu nombreuses s'ouvrent dans la nef centrale, aussi la rose en façade constitue la source de lumière principale.

La couverture se compose de modestes fermes en bois; le pavement, interrompu par deux marches à la quatrième et à la cinquième colonne, est en tomettes de brique.

LA CHAIRE

Au pilier de gauche s'adosse la chaire, exécutée en 1159 par Nicodème de Guardiagrele à la demande de l'abbé Renaud (pl. 66).

Des inscriptions gravées sur le pupitre fournissent les renseignements suivants :

– HOC NICODEMUS OPUS DUM FECIT M(EN)TE FIDELI ORAT UT A DOMINO MEREATUR PREMIA CELI.

– RINALDUS ISTIUS ECCLESIE PRAELATUS HOC OPUS FIERI FECIT.

– + ANNI DOMINI MILLESIMO CENTESIMO QUINQUAGESIMO VIII INDICTIONE II.

Sur le devant des arcs s'étend un réseau serré de rinceaux (symbolisant probablement les rets du péché) où se trouvent imbriqués des figures humaines et monstrueuses (pl. 58 à 71).

Sur le caisson et sur le parapet de l'escalier au milieu de bordures et de reliefs géométriques ou végétaux, s'insèrent des plaques avec des scènes imagées ayant pour thème privilégié le combat de l'homme contre des fauves et des monstres :

– Jonas englouti par la baleine et rejeté sur la terre ferme (sur le parapet de l'escalier) (pl. 72);

– saint Georges qui tue le dragon (sur le côté de la face antérieure vers la nef centrale) (pl. 73);

– la lutte «corps à corps» d'un personnage mythique avec un lion, et d'un autre homme armé d'un bâton contre un ours (sur le côté de la face tournée vers l'entrée).

Des bas-reliefs avec des figures de saints décorent également les deux lutrins semi-cylindriques, d'où saillent des sculptures en ronde-bosse représentant les symboles des évangélistes : l'Ange debout sur le dos du Lion (vers la nef centrale) et l'Aigle posé sur celui du Taureau (vers l'entrée).

De curieuses petites figures humaines nues à la signification mystérieuse se blottissent contre les colonnettes d'angle de la chaire ou grimpent le long de celles-ci.

Le décor en stuc présente des liens manifestes avec les exemples de Cugnoli et de Sainte-Marie à Rosciolo : la plasticité affirmée des sculptures aux couleurs vives revêt une structure formée de quatre colonnes aux chapiteaux de feuillage sur lesquels prennent appui les arcs supportant le caisson à quatre côtés, accessible par un petit escalier latéral (l'un des rares encore en place).

Dans l'abside centrale subsiste en partie une fresque où figure le Jugement dernier, datée par Matthiae de la fin du XIIIe siècle sur la base de quelques détails (costume de l'ange), malgré la permanence de liens avec le style du siècle précédent.

La fresque représente un grand Christ sur un trône dont il ne reste que les pieds (pl. 76), flanqué d'un ange qui avec une longue trompette appelle à la résurrection les défunts, schématiquement rassemblés dans des panneaux carrés (pl. 77); au registre inférieur s'alignent tout raides les douze apôtres qui constituent avec le Christ le tribunal du jugement (pl. 76).

Matthiae a mis en relief l'influence de maniérismes déjà présents dans les fresques de Sant'Angelo a Pianella et qui sont ici notablement simplifiés.

Les figures paraissent aplaties et dépourvues de volumes, les visages clairs et uniformes sont dominés par des lignes simples et manquent complètement de nuances d'ombre et de lumière : il semble que le peintre se soit efforcé avant tout de mettre en valeur la fluidité raffinée de la ligne, sans pour autant avoir pleinement réalisé son intention.

DIMENSIONS DE SANTA MARIA ASSUNTA

Largeur hors œuvre : 11 m.
Longueur hors œuvre : 26 m 10.
Longueur dans œuvre (sans les absides) : 23 m 30.
Largeur dans œuvre : 10 m 50.

BOMINACO

BOMINACO. SANTA MARIA ASSUNTA, SAN PELLEGRINO

Histoire

Sur une sorte de colline près du village de Bominaco, s'élèvent l'église de Santa Maria Assunta et l'oratoire de San Pellegrino, uniques témoins qui nous restent du monastère de Momenaco.

Les sources donnent connaissance de l'existence du monastère bénédictin depuis le Xᵉ siècle, époque où il dépendait de l'abbaye de Farfa.

Après avoir été passablement enrichi par les soins d'Oderisius, descendant des comtes de Valva, l'ensemble monumental fut définitivement confié à l'évêque de ce diocèse en 1093.

Le transfert de propriété rencontra la résistance des abbés de Bominaco, donnant naissance à une série de différends qui beaucoup plus tard impliquèrent la papauté et le roi Robert de Naples. Le pontife n'eut raison des moines rebelles qu'en 1343, date à laquelle il leur imposa un acte de soumission, mais à l'occasion d'une division du diocèse de Valva les luttes reprirent et connurent leur point culminant avec la destruction du monastère par les soins de Braccio da Montone en 1423.

Du désastre furent seules sauvées les églises de Santa Maria Assunta et de San Pellegrino; la première capable de recevoir le plus grand nombre de fidèles, fut construite aux XIᵉ et XIIᵉ siècles, la seconde fut fondée comme oratoire à l'usage des moines à une époque

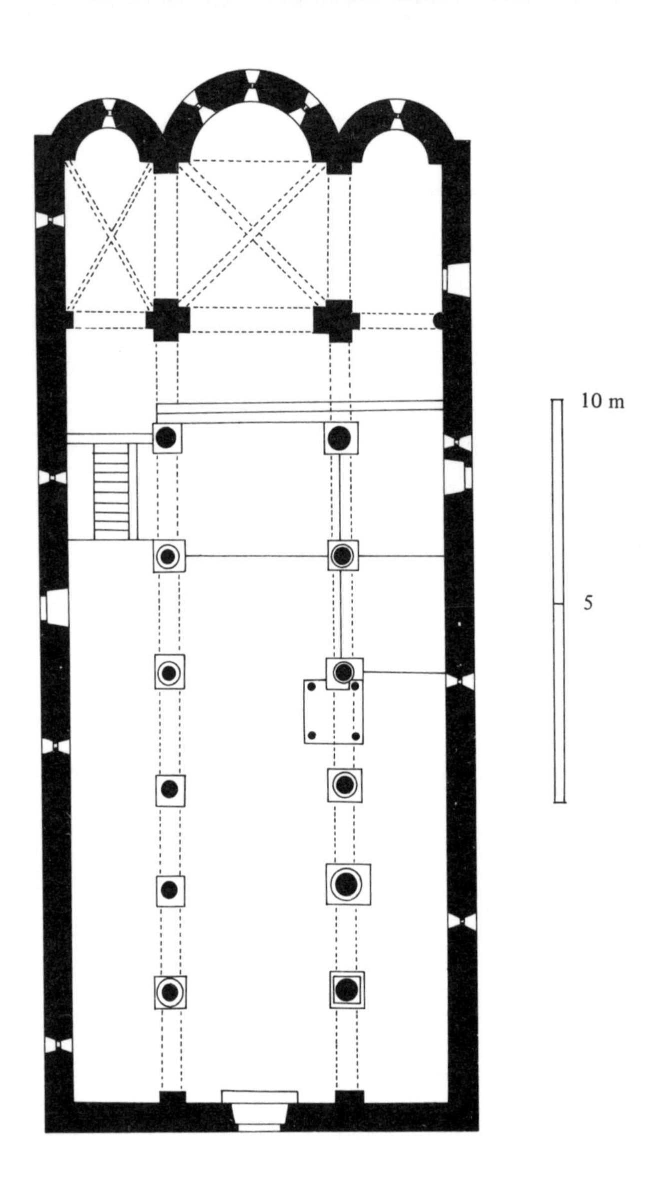

BOMINACO
SANTA MARIA ASSUNTA

antérieure (selon le témoignage de deux inscriptions, au temps d'un certain roi Charles, peut-être Charlemagne) et en 1263 l'abbé Théodine en organisa la reconstruction.

Visite de Santa Maria Assunta

La basilique Sainte-Marie de l'Assomption se dresse sur le roc en une silhouette ramassée et vigoureuse, que l'on peut pour le schéma général faire dépendre du prototype de San Liberatore alla Maiella.

Mais la lointaine inspiration puisée à Serramonacesca est recouverte par une multiplicité d'influences de diverses provenances, des réminiscences classiques aux décors campaniens et apuliens pleins de fantaisie, pour donner naissance à une solution tout à fait originale.

L'édifice, restauré en 1932-1934, présente un plan basilical assez allongé selon le grand axe et divisé en trois nefs avec abside par des colonnes (pl. 87). L'élévation est revêtue extérieurement d'un parement uniforme de pierres de taille, tandis que l'intérieur est le plus souvent recouvert d'un enduit, la pierre apparente étant réservée aux arcs et aux pilastres.

Bordée d'une simple corniche à doucine, la façade forme un bloc de forme inhabituelle dans la région, avec un toit à deux versants sur la nef centrale et des couronnements horizontaux sur les nefs latérales.

Le décor de cette façade, très limité, offre son meilleur élément dans la grande fenêtre du registre supérieur, flanquée de quatre petits lions sur des corbeaux : motif qui a pris naissance dans la région des Pouilles.

Dans l'axe de la fenêtre s'ouvre l'unique entrée centrale, de type bénédictin, avec linteau et archivolte sculptés de reliefs de source byzantine.

La technique d'exécution en taille d'épargne et les éléments décoratifs à palmette et à fleur inscrits dans des figures géométriques (cercles, carrés) étaient désormais entrés dans le patrimoine culturel des équipes bénédictines abruzzaines, et nous les retrouvons presque identiques en diverses églises (par exemple San Liberatore alla Maiella, Saint-Pierre ad Oratorium).

Au chevet, font saillie sur le mur Est les monumentaux et robustes demi-cylindres des absides, plantés dans le sol rocheux avec la force de leurs volumes pleins (pl. 82).

Les trois absides, celle du milieu divisée en trois panneaux par de hautes colonnettes et beaucoup plus haute que les autres, sont renforcées par une robuste plinthe de quelques mètres et se terminent par un couronnement d'arceaux.

(suite à la p. 197)

TABLE DES PLANCHES

80

81

83

84

8

86

ANNIS·M·C·OCTVAGENI

92

93

94

95

96

97

Quatre des fenêtres qui éclairent le sanctuaire (trois dans l'abside majeure et une dans chacune des deux autres) sont bordées de frises sculptées représentant des fleurs et des grappes renflées au milieu d'un enchevêtrement de tiges (pl. 83 et 84). Le style de ce décor étonnamment abondant, réalisé avec une grande liberté de composition, a été attribué par Moretti à des artistes de formation campanienne. Les fleurs présentent un modelé très délicat qui dénote une étude d'après nature et une aisance technique dans le travail de la pierre : elles se trouvent au milieu des souples volutes des jambages, qui naissent tantôt d'animaux du bestiaire médiéval, tantôt de petits arbres ou de plantes semblables à des grappes d'épis.

Les mêmes motifs se retrouvent dans le décor du flanc gauche de la construction (pl. 79 à 81).

L'espace intérieur de la basilique, avec deux rangées de colonnes au lieu de piliers, est animé par les sculptures intactes des supports et du mobilier qui contribuent à donner une image vraie et harmonieuse de l'édifice (pl. 87). Six colonnes de chaque côté reçoivent des arcs en plein cintre.

Le sanctuaire est délimité par deux piliers cruciformes, sur lesquels se tend un arc triomphal en plein cintre retombant sur des moulures classiques.

Les colonnes s'élèvent sur des bases de type attique, récupérées sur des monuments romains ou créées expressément pour la basilique par les équipes locales en imitant avec une extrême précision les modèles classiques.

Les fûts monolithiques, de divers diamètres et parfois cannelés, sont indubitablement des pièces antiques.

Les chapiteaux de facture originale, offrent par contre un exemple de variation pleine de fantaisie sur le modèle corinthien. Des fleurs, des feuilles, des caulicoles, toujours combinés de façon différente, se trouvent stylisés jusqu'à acquérir une raideur géométrique. Les éléments végétaux, qui naissent d'un fin astragale et sont surmontés d'un tailloir important, ont été laissés dans leur forme plastique essentielle sauf sur deux chapiteaux complétés de nervures serrées et fines.

Les trois nefs sont couvertes d'un plafond à poutres de bois apparentes tandis que sur le sanctuaire s'étend une voûte d'arêtes à nervures.

Le pavement est fait de dalles de pierre. Une marche au niveau de la cinquième colonne et trois autres à la hauteur de la sixième marquent la montée progressive vers l'autel. L'impression de complétude donnée par cet intérieur de la basilique est favorisée par le mobilier en très bon état, attribuable à deux époques différentes : la chaire (pl. 87) est datée de 1180, et à la même époque remonte, du fait de la conformité de son style, le trône abbatial (pl. 89) placé dans l'abside majeure; le ciborium et l'autel appartiennent par contre à l'année 1223.

LA CHAIRE

Du type à caisson carré sur colonnes, avec lutrin semi-circulaire, elle rappelle le prototype de la cathédrale de Valva, antérieur de quelques années.

La corbeille des chapiteaux est revêtue de feuillage, selon les modèles classiques, tandis que sur l'architrave apparaissent, au milieu de rinceaux issus de la gueule d'un lion, des éléments du bestiaire médiéval (pl. 85 et 86).

Les surfaces lisses des parapets sont animées de grosses rosaces de tradition locale tandis que des petits arcs sur des demi-colonnettes enveloppent l'arrondi des pupitres.

Le long de l'appui du parapet court un listel avec cette inscription : SACRISTE PETRI /// SIMUL ABATIS QUE IOA ///

HIC QUI CORDE PIO PRIMIS FAMULANTUR AB /// IS + QUISOS ETERNU TRIBUAT SCENDERE REGNUM + QUI LEGIT HOS TANDEM SEP FATETUR ET AM + AVE MARIA GRATIA PLENA DOMINUS TECUM.

Une autre inscription est gravée sur la bordure de l'architrave : ANNIS MC. OCTUAGENIS (pl. 88) PRESUL EIT UNC MAGNO CURULE SEDENTE ALEXA /// REGIS PRECELTI SAB TEMPORIBUS GUILIELMI HOC OPUS EXCELSU MANIBUS CAPE VIRGO MARIA QUEM.

TRÔNE ABBATIAL

Malgré les lourdes interventions de restauration, ses ressemblances techniques et stylistiques avec la chaire sont assez visibles pour qu'on puisse l'attribuer au même artiste.

Surélevé de trois marches et gardé par deux lions en pierre, le trône est cerné de bordures qui reprennent des feuilles en palmette et des rinceaux où s'inscrivent des grandes fleurs et des animaux (pl. 89).

Sur un des panneaux latéraux, où est représenté un personnage avec un bâton pastoral, est gravé : + M. ANNIS OPUS HOC CAPE XPE IOHIS CUM CENTENI JUNGANT OCTUAGENI NONDU TRANSACTO TUNC ANNO CURRERE QRTO ABBATIS VERI CAPIATIS AGMINA CELI.

MOBILIER DU SANCTUAIRE

Le ciborium, dû à la restauration, constitue dans ses lignes générales un modèle assez répandu dans les Abruzzes, avec une coupole polygonale portée par une minuscule arcature reposant elle-même sur quatre colonnes.

C'est aussi à un modèle habituel dans la région que se conforme le chandelier pascal, formé d'une colonne torse sur un lion stylophore et d'un chapiteau à son sommet où l'on plaçait le cierge à l'occasion de la fête.

Visite de San Pellegrino

Située un peu plus bas que la grande Sainte-Marie de l'Assomption, l'église Saint-Pérégrin (à l'origine protecteur du monastère) est un petit édifice en maçonnerie rustique qui, à l'encontre de son humble aspect extérieur, présente un intérieur entièrement revêtu de fresques du XIIIe siècle, de grande valeur historique et artistique.

En plan, elle se présente comme une longue salle rectangulaire précédée d'un porche de petites dimensions et divisée en deux parties par une clôture en pierre.

A cause de la pente du terrain, l'arrière de l'édifice est situé à un niveau supérieur à celui du pavement auquel il est raccordé par un escalier à deux volées appuyé au mur du fond.

Les murs de la façade et du chevet ont été formés de matériaux de remploi, ce qui leur confère un aspect plutôt modeste (pl. 90). A l'harmonieuse façade à deux rampants, percée d'un portail avec archivolte et d'un petit oculus, s'est adossé au XVIIIe siècle un porche, avec trois arcades sur le devant et une de chaque côté, dont les supports sont des éléments de remploi posés sur un bahut peu élevé.

Dans la face postérieure, surmontée d'un petit clocher-mur, s'ouvre une deuxième entrée, faite de montants et d'un linteau en pierre avec un arc de décharge (pl. 90).

Contre le portail se trouve une fenêtre à roue, au-dessus de laquelle est gravée une inscription qui témoigne de la reconstruction de 1263 : + A.M. BIS; C. SEXDECIES TERNIS HEC A REGE CAROLO FUNDATA AB ABBATE TEODINO.

L'intérieur surprend le visiteur par la couleur vive des murs, entièrement décorés à la fresque, comme par une sorte d'« horror vacui » (pl. 91).

Les murs, répartis en quatre travées, s'élèvent à la rencontre d'une voûte en berceau brisé renforcée par des doubleaux retombant sur des pilastres.

Une corniche sur modillons, située plus haut que le départ des arcs, donne plus d'espace aux peintures des murs verticaux, scandés de pilastres engagés dans la maçonnerie et en faible saillie.

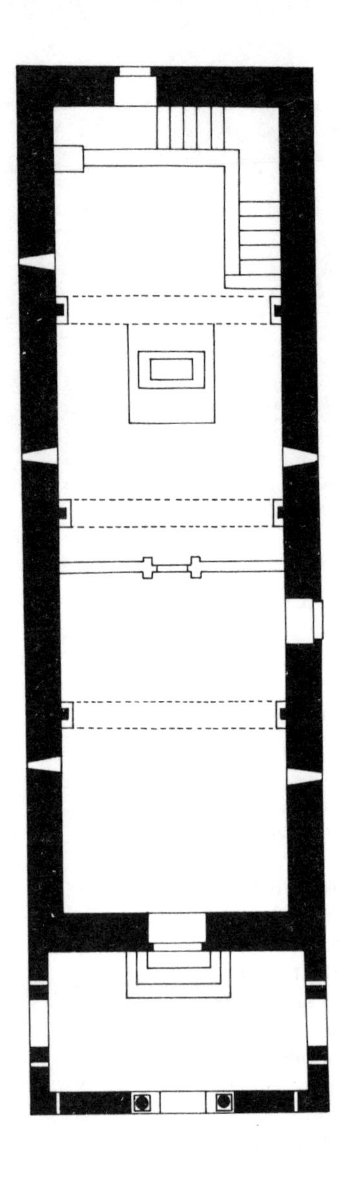

BOMINACO
SAN PELLEGRINO

L'édifice reçoit la lumière des deux petites roses dans les murs terminaux et de quelques petites fenêtres latérales (deux à droite et trois à gauche).

Le pavement en dalle de pierre est interrompu par une marche basse sur laquelle est posée l'iconostase, formée de deux panneaux en pierre sculptés en bas relief.

Les reliefs représentent deux animaux fantastiques [un griffon sur la plaque de droite (pl. 93) et un dragon sur celle de gauche (pl. 92)] postés en sentinelles pour garder le sanctuaire. Le long du bord supérieur des panneaux se déroule une inscription qui répète : H. DOMUS A REGE CAROLO FUIT EDIFICATA ADQ. P. ABBATEM TEODINUM STAT RENOVATA CURREBA... NNI DNI TUC MILLE CC ET SEXAGINTA TRES LECTO... DICITO GENT...

Les fresques de Saint-Pérégrin peuvent être comptées parmi les réalisations les plus heureuses de l'art pictural dans les Abruzzes. Des scènes de l'Enfance et de la Passion du Christ, un calendrier du diocèse de Valva, des représentations et des récits de saints et de prophètes sont rassemblés sans ordre, ni dans l'espace ni dans le temps.

Comme il ne s'agit pas en effet d'une église ouverte au public mais d'un oratoire à l'usage des moines, l'intention pédagogique et la nécessité d'un exposé clair et ordonné n'existaient pas.

Les fresques sont disposées sur trois registres, au-dessus d'une zone inférieure occupée par une tenture peinte; les épisodes sont parfois réunis comme dans un récit continu, ailleurs ils sont séparés par des encadrements.

Les thèmes évangéliques se révèlent inspirés par l'iconographie byzantine, même s'ils comportent des éléments d'origine occidentale.

En général on constate la tendance à donner aux événements du récit sacré une dimension réelle : les détails de la vie quotidienne, le caractère concret des objets, la spontanéité des gestes (pl. 94), deviennent partie intégrante d'un tissu narratif de style populaire, qui atteint à un haut niveau expressif surtout dans les scènes relatives à la Passion.

Ainsi dans l'épisode de l'Arrestation avec le jeu intense des regards entre le Christ et Judas, ou bien dans la scène de la Flagellation centrée sur la figure monumentale du Sauveur lié à la colonne en sorte qu'il forme un tout avec elle, ou encore dans les tableaux où figurent la Déposition de croix (pl. 96) et l'Ensevelissement et où le pivot de la composition devient le très tendre rapport Mère-Fils (pl. 97). Au revers de la façade se détache l'immense figure de saint Christophe dont les grandes proportions sont justifiées par une tradition selon laquelle un regard quotidien sur l'image du saint aurait préservé le fidèle d'une mort subite.

Six scènes dans la deuxième travée à droite sont consacrées à saint Pérégrin qui, à en juger par les faits racontés, ne semble pas être le célèbre saint Pérégrin, fils du roi d'Écosse, mais un homonyme inconnu de nous, probablement d'origine syriaque.

Très intéressantes sont les figurations des Mois (en partie disparues) insérées dans le calendrier peint à la fresque au-dessus de la corniche du sanctuaire.

Du point de vue iconographique, les personnages du calendrier semblent issus de modèles d'au-delà des Alpes, en particulier de manuscrits enluminés plutôt que d'œuvres picturales, comme il ressort du traitement calligraphique et de la vivacité peu ordinaire de la palette des couleurs.

Outre ce maître miniaturiste, on distingue au sein du cycle de fresques deux autres mains d'artiste : celui qu'on appelle le Maître de la Passion (auteur des fresques le long des petits côtés, des récits de la Passion et de ceux qui concernent saint Pérégrin) qui ne manifeste aucun souci de perspectives mais plutôt une recherche dramatique et plastique marquée dans l'accentuation des contours (pl. 96 et 97); et le Maître de l'Enfance du Christ (pl. 94 et 95) qui affectionne les paysages aux lignes ondulées et les encadrements architecturaux élémentaires rappelant des exemples de la miniature.

DIMENSIONS DE S. PELLEGRINO DE BOMINACO

Longueur hors œuvre (y compris le portique) : 24 m 18.
Largeur hors œuvre : 7 m 10.

SANTA

MARIA DI RONZANO

pages suivantes (page 206 et 207) :
Castelcastagna. Santa Maria di Ronzano.
Détails d'une fresque de l'abside :
la Fuite en Égypte ▷

CASTELCASTAGNA. SANTA MARIA DI RONZANO

Histoire

Située dans une zone d'ondulations au-dessus de la vallée du Mavone, l'église Sainte-Marie de Ronzano est tout ce qui reste d'un ensemble monastique bénédictin, détruit en 1183 par un violent incendie.

Le plus ancien document concernant la basilique est une bulle pontificale de cette même année envoyée à l'évêque de Penne pour confirmer l'appartenance de l'église à son diocèse et sa dépendance de l'abbaye de Saint-Cyr près d'Antrodoco, dont elle était une «prévôté».

La construction est considérée comme de peu antérieure aux précieuses fresques de l'abside, qu'une inscription peinte sur la corniche de base du cul-de-four absidal date de 1171 (Balzano en donne la lecture suivante : MCLXXI DN' PETR' SEXTUN' Q'PREPOXITUS).

D'autre part il n'est pas improbable que le temps ait effacé quelques lettres de la date, qu'en fait Bertaux lit comme 1181.

Pace a introduit un motif ultérieur de doute en se basant sur un article de Mme De Maffei (1963) envisageant la possibilité que la date originelle soit M(C)CLX(X)XI, c'est-à-dire 1281. La datation se trouverait confirmée, dans son hypothèse, par l'analyse stylistique des fresques.

Pour notre part, il nous semble opportun d'attirer l'attention sur les années de construction des grandes cathédrales des Pouilles au type desquelles se rattache l'église Sainte-Marie de Ronzano : ces édifices

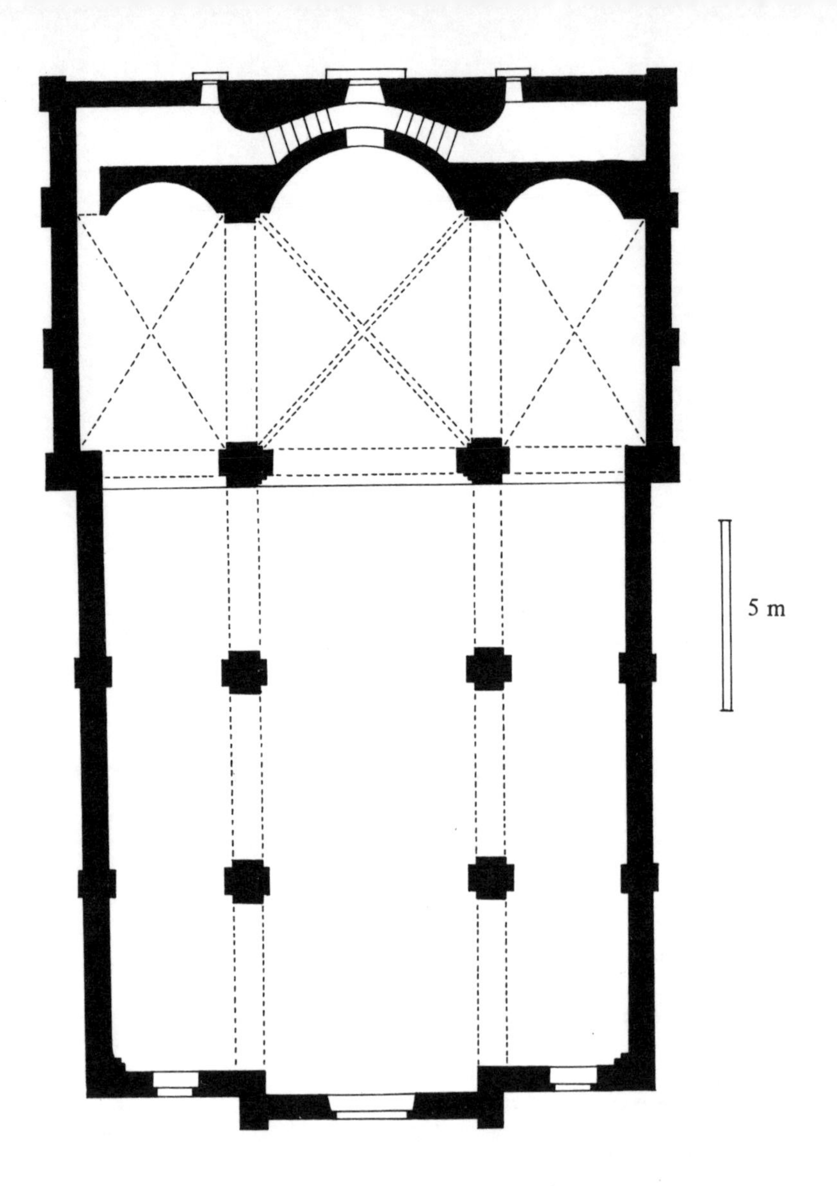

CASTELCASTAGNA
SANTA MARIA DI RONZANO

s'inspirent de modèles architecturaux d'origine orientale, qui ont commencé à exercer leur influence en Italie à partir des Pouilles.

La première basilique, fondée sur le principe architectural byzantin d'un corps avec abside compris à l'intérieur d'une «boîte» en maçonnerie, est l'église Saint-Nicolas de Bari érigée entre 1087 et 1197. Viennent ensuite la cathédrale vieille de Molfetta (à partir de 1150), la cathédrale de Bari (1170-1178) et la cathédrale de Bitonto (1175-1200).

Dans cette perspective, la date la plus convaincante pour Sainte-Marie de Ronzano semble donc être 1181, en une période immédiatement postérieure aux grandes réalisations des Pouilles.

L'édifice a été restauré dans l'après-guerre, par l'entremise du Génie civil qui a rendu les nefs latérales, antérieurement surélevées, à leurs dimensions originelles (reconstituant aussi le clocher, de façon discutable), tandis qu'à l'intérieur les parties abîmées des pierres ont été colmatées avec du ciment.

Visite

L'église Sainte-Marie de Ronzano constitue un cas particulier dans le panorama des églises romanes abruzzaines, car elle a accueilli plus que toute autre des éléments architecturaux propres au roman des Pouilles.

A cette qualité méditerranéenne, évidente dans la disposition du transept, fait pendant le caractère «nordique» des fresques absidales, parmi les plus intéressantes des Abruzzes.

Le plan basilical est du type bénédictin à trois nefs de trois travées, avec transept en saillie d'environ un mètre sur les nefs et terminé par trois absides légèrement incurvées. Le transept est fermé au-delà par un mur plat : entre les absides et ce mur sont creusées de petites pièces servant de sacristie.

Les matériaux de construction sont la brique et la pierre de taille locale.

La façade, à rampants interrompus, est en brique, avec trois entrées et des contreforts en pierre correspondant aux nefs et aux angles; la partie centrale, en légère saillie a un parement de pierre à l'emplacement des trois arcs d'un porche jamais réalisé qui devait constituer le prolongement naturel de l'avant-corps. Les éléments verticaux se terminent par un arc en forme de croissant qui, comme on le verra, est un élément caractéristique repris dans l'église.

Dans le haut, au milieu, il y a une grande fenêtre circulaire, tandis que deux fenêtres simples surmontent les portails des nefs latérales.

Les flancs de l'édifice sont en maçonnerie avec des lésènes en pierre; seule la partie supérieure de la nef centrale est percée de fenêtres (pl. 98).

Les côtés et l'arrière du transept sont décorés de grandes arcades aveugles en pierre calcaire lisse (motif d'origine orientale). Au centre de la face postérieure, où la lésène entre les quatre arcs devient beaucoup plus large, s'ouvre une grande fenêtre (pl. 99). Cette fenêtre est l'unique élément doté d'un riche décor : le jour est clos d'une claustra en pierre avec deux dessins de grille différents, l'ébrasement est garni de palmettes et la bordure est ornée d'un bas-relief ornemental où des rinceaux sinueux comportent feuilles, fleurs et fruits pour se terminer par des têtes de serpent entre lesquelles figure dans le haut un monstre.

L'archivolte est en saillie et prend appui sur deux colonnettes portées par des corbeaux : la bordure supérieure lisse est en forme de croissant comme aussi la voussure qui est sculptée de feuilles d'acanthe d'où surgissent des têtes humaines (il en reste encore trois).

Comme on l'a déjà signalé, tout l'ensemble du chevet (pl. 98), par l'enveloppe en maçonnerie qui contient les absides, par les arcades et par la fenêtre centrale est typique de l'architecture des Pouilles (qui est encore du premier style byzantin).

Est par contre inhabituelle par rapport aux exemples des Pouilles la disposition du toit : dans les églises de cette province le toit du transept est disposé perpendiculairement à l'axe des nefs, tandis qu'à Sainte-Marie de Ronzano la couverture du transept et celle du corps basilical ont la même orientation.

On se demande spontanément si la couverture du sanctuaire n'aurait pas été refaite et orientée différemment : un certain manque d'harmonie dans les proportions et une trace sur le parement en briques à l'arrière du transept (signe d'une intervention de reprise) semblent favoriser une telle hypothèse, que seul un examen attentif à l'intérieur de l'édifice pourrait confirmer.

C'est probablement à l'occasion de cette reconstruction du toit qu'a été élevé le clocher-peigne à deux ouvertures, semblable à celui de Sainte-Marie de Cartignano (où il se trouve en façade) et de Saint-Nicolas de Pescosansonesco, églises bénédictines elles aussi.

A l'intérieur de la basilique les nefs sont séparées par des piliers cruciformes, terminés par de simples moulures, qui portent des arcs longitudinaux en plein cintre à double rouleau : ici encore un centre différent pour les deux arcs produit le dessin en faucille caractéristique (pl. 100).

Les murs sont parcourus de lésènes répondant aux piliers. Ce sont là encore les signes de voûtes non réalisées, ce qui laisse entièrement apparente la toiture.

Le sanctuaire, surélevé d'une marche, est surmonté de trois arcs en plein cintre à l'archivolte en faucille (et non brisée comme l'a dit Bertaux) et il est couvert de trois voûtes : les latérales sont des voûtes d'arêtes et la centrale carrée du type dit «lombard» avec de grandes nervures de section rectangulaire.

Le pavement est en pierre.

L'édifice, à part un petit nombre de fenêtres étroites, a comme source principale de lumière la grande fenêtre ronde de la façade, qui assure l'éclairage des précieuses fresques du sanctuaire.

De l'ancien décor pictural demeurent les fresques de l'abside centrale, du mur de droite du transept et en partie du mur de gauche.

Il s'agit de la représentation traditionnelle de scènes tirées de l'Ancien et du Nouveau Testament, dans un récit qui ne suit pas toujours l'ordre chronologique et présente diverses anomalies dans la distribution des sujets.

La narration part du mur de fond du croisillon de droite (pl. 105) et se déploie sur deux registres.

– *Registre supérieur :* Création du monde, Péché originel, Réprimande et Châtiment d'Adam et Ève (pl. 106), Annonce à Anne, Annonce à Joachim par l'intermédiaire des bergers (pl. coul. p. 251).

– *Registre inférieur :* Scène d'interprétation difficile (peut-être Présentation de Marie au Temple), Mariage de la Vierge, Présentation de Jésus au Temple (pl. 107).

– *Cul-de-four de l'abside :* Christ en majesté inscrit dans la mandorle portée par quatre anges.

– *Premier registre de l'abside* (de part et d'autre de la fenêtre centrale) : Annonciation de l'ange à Marie, entre deux files d'apôtres (pl. 101 et 102).

– *Deuxième registre de l'abside :* Visitation, Nativité (pl. 103), Fuite en Égypte (pl. coul. p. 206, 207, 217), Massacre des Innocents (pl. 104).

- *Troisième registre de l'abside :* Arrestation du Christ, le Christ devant Pilate, Flagellation, Crucifixion (presque complètement disparue), scène d'interprétation difficile avec Caïphe, Pilate et une femme qui supplie (peut-être la Demande du corps du Christ) (pl. coul. p. 217), Ensevelissement, Femmes en pleurs (en lien avec la scène supérieure du Massacre des Innocents) (pl. 104).

Les fresques de l'abside se terminent par une tenture peinte qui sert de socle à la composition.

Le mur de fond du bras gauche du transept conserve seulement une partie du Jugement dernier, avec saint Michel et saint Pierre près de la porte du paradis, au-delà de laquelle siègent les patriarches qui reçoivent les âmes dans leur sein.

Comme l'a remarqué Matthiae, apparaît dans la composition un intérêt pour la représentation synthétique, obtenue grâce à quelques éléments essentiels avec des notations de saveur populaire, qui se ressent de l'influence de la miniature transalpine et en particulier de l'art germanique.

Rappelons quelques-unes des scènes les plus significatives de ce style narratif : la création du monde est résumée en une seule scène, avec Dieu sous l'aspect du Christ et une sphère en laquelle sont rassemblés tous les éléments créés (pl. 106); la Présentation au Temple de Jésus se compose seulement de la Vierge qui tend son Fils (pl. 107) à Siméon sur un autel où est placé un calice (symbole de la Passion future); le Massacre des Innocents (non dépourvu de détails macabres) est représenté schématiquement par un soldat qui exécute l'ordre reçu d'Hérode, une foule d'enfants qui attendent l'exécution amassés dans un compartiment fermé et le groupe des mères en pleurs placé au registre inférieur (pl. 104); les scènes relatives à la Passion, privées de tout détail descriptif, sont concises mais expressives.

En outre le recours à l'iconographie du Nord est évident, surtout dans la typologie du Christ en majesté, des apôtres et de la Vierge de l'Annonciation, personnage dont l'élan est nettement gothique.

Matthiae a distingué la main de divers artistes, au-delà de l'uniformité de conception qui informe l'œuvre tout entière :

– le maître qui a exécuté les scènes de la Genèse, reconnaissable par les visages aux yeux écarquillés et par les figures simplifiées et plates aux contours bien marqués;

– le réalisateur de l'Enfance du Christ et du premier registre de l'abside, qui affectionne les personnages élancés et nerveux;

– l'auteur du Christ en majesté et des scènes de la Passion;

– celui qui a peint la scène du Massacre des Innocents et les trois dernières scènes de la Passion, reconnaissable aux couleurs claires et opaques, et à certaines physionomies caractéristiques;

– le maître du Jugement dernier qui confère à ses personnages un caractère plus plastique et est lié au maniérisme byzantin.

L'importance historique de ce cycle de fresques tient à sa fonction de trait d'union entre les expériences artistiques d'au-delà des Alpes et les cycles abruzzains postérieurs (Bominaco, Fossa, etc.) contribuant à la formation d'un style régional, capable de réélaborer de façon originale les apports culturels provenant de l'extérieur.

DIMENSIONS DE SANTA MARIA DI RONZANO

Largeur des nefs dans œuvre : 14 m 37.
Largeur du transept dans œuvre : 15 m 50.
Longueur dans œuvre (absides non comprises) : 22 m 50.
Longueur hors œuvre : 26 m 70.

Castelcastagna. Santa Maria di Ronzano.
Fresque de l'abside :
en haut, la Fuite en Égypte,
au-dessous, sans doute la demande de l'ensevelissement,
puis l'ensevelissement du Christ ▷

INVENTAIRE

INVENTAIRE DES ÉDIFICES ROMANS DANS LES ABRUZZES

AIELLI
La Très Sainte Trinité
Portail (1479) avec archivolte dans le style roman.

ALBE
Voir MASSA D'ALBE

ALFEDENA
Les Saints Apôtres Pierre et Paul
Portail romano-gothique et pseudo-porche du XIIe siècle.

ANVERSA DEGLI ABRUZZI
Église paroissiale Saint-Marcel
Portail romano-gothique du XIVe siècle avec l'inhabituel motif du tympan à l'arc trilobé.

AQUILA (L')
L'Aquila a pris son développement comme ville vers le milieu du XIIIe siècle, à la suite de la fédération de quatre-vingt-dix-neuf châteaux (le nombre est peut-être symbolique) dispersés sur les collines avoisinantes. Dans le nouveau centre urbain, chaque château fut représenté par un quartier doté de sa propre église, d'une place et d'une fontaine. La naissance quasi concomitante d'un grand nombre d'églises explique

l'apparition d'une «manière aquilane» particulière qui, si elle conserve plusieurs éléments de la tradition romane, ne se fait pas faute d'assimiler et de repenser des nouveautés gothiques. Il m'a semblé intéressant de l'étudier, en mettant en relief les aspects les plus typiquement romans.

Couvent de la Bienheureuse Antonia (XVe)

Une section du cloître avec des arcs sur des colonnes basses en pierre du XIIIe siècle.

Saint Antoine abbé

Portail mutilé avec une inscription (1308) : IN NOIE. DNI. AM. A. D. MCCCVIII. VI. IND. L'église faisait partie d'un hospice supprimé au XVe siècle.

Saint-Bernardin

Le cloître présente encore des caractères stylistiques du XIIIe siècle, d'influence cistercienne.

Le «cloître mineur» présente des arcs en plein cintre sur des colonnes trapues.

Saint-Dominique

Église gothique construite en 1309 à la demande de Charles II d'Anjou. En façade, elle présente un portail qui est encore sous l'influence des modèles romans. Au linteau du portail gothique dans le bras gauche du transept se trouve le motif habituel de l'Agneau crucifère entre des volutes végétales.

Saint-Flavien (XIIIe-XIVe siècles)

De l'époque de la première construction elle conserve des parties de maçonnerie et le portail roman.

Saint-François de Paule

Portail roman tardif (XVe siècle) provenant de l'église Saint-Jean à Lucoli.

Saint-Joseph

Église en mauvais état : portail roman tardif.

Santa Giusta, Sainte Justa

Milieu du XIIIe siècle. Façade du siècle suivant avec portail roman ébrasé surmonté d'une rose. Au flanc droit portail roman plus petit datable des premières années du XIVe siècle. L'intérieur a été remanié mais le schéma originel à trois nefs est encore visible.

Saint-Marcien

Église romane du début du XIVe siècle. Seule demeure intacte la partie inférieure de la façade, du type avec Agneau crucifère au linteau.

Saint-Marc

Construite dans la deuxième moitié du XIIIe siècle. Façade du XVe siècle (remaniée) avec portail de tradition romane. Dans le flanc gauche, élégant portail secondaire au cintre brisé, avec linteau sculpté selon les caractères propres de la plastique romane avec l'Agneau crucifère entre les symboles des évangélistes.

Sainte-Marie des Anges (XIVe-XVe)

Façade provenant de Santa Maria del Guasto (démolie) remontée sur cet édifice en 1935. Elle présente un couronnement horizontal, un portail roman tardif avec l'Agnus Dei au linteau et une grande fenêtre à roue.

Sainte-Marie du Carmel

Portail de style roman (XVe siècle), réplique de celui de Sainte-Marie des Anges.
Sainte-Marie de Collemaggio
Voir notice brève p. 29.
Sainte-Marie de Farfa (première moitié du XIVe siècle)
Façade du type de L'Aquila avec portail de style roman.
Sainte-Marie de Paganica
Église romane des XIIIe-XIVe siècles. Elle conserve une partie du clocher et trois beaux portails romans. Le portail principal (au centre de la façade surmonté d'une rose circulaire) est caractérisé par quatre ressauts et daté de 1308. Le portail du flanc gauche, vers la place, est probablement le plus ancien (fin du XIIIe siècle) et présente sur le linteau l'Agneau crucifère, tandis que celui du côté droit s'inspire principalement de modèles d'Atria.
Sainte-Marie de Roio
Première moitié du XIVe siècle. De l'origine elle conserve la façade avec portail de type roman. Les sculptures du tympan sont du XVe siècle.
Saint-Pierre Coppito
Construite dans la deuxième moitié du XIIIe siècle et transformée dans la suite. En façade, fragments remontés du portail de type roman.
Santa Giusta (hameau de Bazzano)
Voir notice brève p. 30.
Cathédrale Saint-Rainier (hameau de Civita di Bagno)
Ancienne cathédrale de Forcona, aujourd'hui à l'état de ruine. Restent : le chevet, le flanc Est, la crypte et une partie du clocher, remontant aux XIe-XIIe siècles. Éléments encastrés du haut Moyen Age. Remarquables ressemblances avec les édifices bénédictins contemporains (San Liberatore alla Maiella).

Sainte-Marie des Grâces (anciennement Saint-Pierre in Poppleto) (hameau de Coppito)
Consacrée en 1122 et transformée ultérieurement, l'église conserve la partie basse de la façade (avec parement régulier en pierre de taille, arceaux décoratifs et portail surmonté d'un linteau en bâtière remployé) et le chevet (avec le même parement de pierre de taille et des arceaux peu saillants). Fait tout à fait singulier : les arceaux marquent non seulement la partie haute mais aussi la ligne médiane des volumes. En façade est encastré un fragment de chancel. Un linteau, employé sur une entrée latérale, rappelle la facture du maître Acutus.

Saints Chrysanthe et Darie (hameau de Filetto)
Petite église romane isolée dans la campagne à 3 km du hameau de Filetto. Construite en 1192 comme l'atteste un document papal et le confirme l'analyse stylistique, l'église a un plan à nef unique avec abside. L'élévation est entièrement revêtue de pierres de taille bien conservées et sans aucun décor. Les uniques ouvertures dans ce parement lisse sont les deux entrées (la plus grande de type bénédictin sur la façade principale et l'entrée secondaire dans le flanc droit), deux fines archères dans ce même flanc et une fenêtre au milieu de l'abside. La façade et le mur terminal au chevet présentent une silhouette en pignon. A l'intérieur, la zone du sanctuaire est simplement délimitée par deux marches. Très intéressantes fresques attribuées au XIIIe siècle.

Église paroissiale de l'Assunta (Marie dans son Assomption) (hameau de Paganica)

A droite du portail est fixée une plaque de pierre avec une rosace centrale, inscrite dans un losange entouré de figures d'animaux. Elle appartenait peut-être à une chaire ou à un chancel de sanctuaire (XIIe siècle?).

Saint-Justin

Église d'origine ancienne reconstruite au XIIe siècle par les bénédictins. Elle conserve des fragments sculptés de l'époque romaine et du haut Moyen Age. Le plan est basilical à trois nefs se terminant par une abside. Sous le sanctuaire se situe la crypte divisée en six travées à voûtes d'arêtes. L'élévation est conforme au modèle bénédictin répandu à cette époque : en pierre de taille avec motifs décoratifs de provenance lombarde. La façade n'a plus d'originel que la partie inférieure, avec un portail composé de piédroits et d'une archivolte au nu du mur. Sont mieux conservés le chevet et le flanc droit. L'intérieur, couvert en charpente apparente, a pour supports des piliers et des colonnes de remploi.

Église paroissiale (hameau de Preturo)

Fondée en 1170 : sur la façade du XVe siècle il y a un portail roman; fragments d'époque romane encastrés dans la maçonnerie.

Saint-Jean-Baptiste (hameau de San Gregorio)

Portail principal et fenêtre au flanc droit constitués de fragments du Moyen Age remployés dans la reconstruction du XVIe siècle. La claustra qui forme la rose primitive est attribuable au IXe siècle.

Saint-Michel-Archange (hameau de San Vittorino)

Édifice d'un grand intérêt, au voisinage de l'antique Amiternum d'où provient la quantité importante de matériaux remployés. La construction, élevée sur une église antérieure du haut Moyen Age (VIIIe-IXe siècles), fut consacrée en 1170 et conserve de cette époque son plan en croix latine terminé par une abside semi-circulaire, où demeurent des vestiges de fresques du XIIIe siècle. Pour le reste, l'église a été l'objet de lourdes modifications. La partie la plus intéressante de l'édifice est constituée par les catacombes souterraines où est enterré l'évêque martyr saint Victorin. Celles-ci, formées de grottes, de galeries et de pièces en maçonnerie fort ancienne, conservent des matériaux romains classiques, des fragments du haut Moyen Age (IXe siècle), des panneaux de chaire (exécutés en 1197 par maître Pierre Amable) et surtout le précieux autel de saint Victorin, rarissime témoin paléochrétien dans les Abruzzes, datable des Ve-VIe siècles.

ASSERGI

Voir L'AQUILA.

ATESSA

San Leucio

L'église, construite dans la première moitié du XIVe siècle, conserve du bâtiment originel le portail romano-gothique, la grande fenêtre à roue et quelques statues placées dans les niches de la façade.

ATRI

Cathédrale Sainte-Marie de l'Assomption

Splendide exemple d'architecture gothique avec quelques éléments romans, consacrée en 1123 mais complétée aux XIIIe et XIVe siècles. Elle a subi quelques modifications au cours des siècles suivants. Elle conserve des vestiges d'édifices antérieurs : deux petites absides d'une église des IXe-Xe siècles et des restes d'une mosaïque appartenant à un édifice thermal romain. Construite entièrement en pierre d'Istrie, la cathédrale présente un plan basilical à trois nefs séparées par quatorze piles polystyles s'épaississant à partir de la quatrième arcade. Le parement uniforme en pierre de taille de la façade rectangulaire est rythmé de lésènes qui se poursuivent sur le flanc, et est percé d'un portail et d'une rose en son milieu. Trois autres entrées s'ouvrent dans le flanc droit entre de longues fenêtres. Tous les portails sont de type roman, ébrasés et richement décorés. L'espace intérieur a un caractère nettement gothique avec de hauts arcs brisés. De très remarquables fresques du XVe siècle d'Andrea De Litio, considérées comme constituant le cycle pictural le plus important des Abruzzes en ce XVe siècle. Cloître intéressant qui conserve quelques chapiteaux datables du XIe siècle.

Saint-André apôtre

Portail roman de la première moitié du XIVe siècle.

Saint-Dominique

Portail d'inspiration romane de la première moitié du XIVe siècle, à pseudo-porche.

Saint-Nicolas de Bari

Église romane construite en 1256, comme l'atteste une inscription lapidaire. Modifiée par rapport à son aspect originel, elle garde le portail primitif, dépourvu de décor.

AVEZZANO

Saint-Jean

Sur le flanc, portail roman constitué de fragments récupérés parmi les décombres du tremblement de terre de 1915.

BARETE

Saint-Paul (église de cimetière)

Édifice d'origine ancienne, garde quelques éléments romains remployés, un relief du haut Moyen Age encastré dans le bâtiment à droite de l'édifice, quelques fenêtres et le flanc gauche de la construction primitive; l'abside semi-circulaire est datable du XIIe siècle. Deux chapiteaux romans sont utilisés comme bénitiers.

BAZZANO

Voir L'AQUILA.

BOMINACO

Voir CAPORCIANO.

BUSSI SUL TIRINO

Sainte-Marie de Cartignano

Église abbatiale bénédictine, fondée en 1020 et modifiée au XIIe siècle. Gravement endommagée par des affaissements elle a subi une reconstitution de type archéologique («à partir de ruines»). La façade à rampants interrompus présente la particularité du clocher-peigne central (comme à Saint-Nicolas de Pescosansonesco). Au-dessus du simple portail cintré s'ouvre une petite fenêtre à roue qui se ressent déjà des nouveautés françaises. L'intérieur, à ciel ouvert, était à trois nefs séparées par des piliers. Vers le fond est encore visible l'abside, d'aspect gothique à l'intérieur et semi-circulaire à l'extérieur entouré d'une suite d'arceaux.

CAMPLI

Saint-François

Église du XIVe siècle à nef unique et abside carrée. Sont romans le portail et les flancs divisés par des lésènes et terminés par des arceaux.

Saint-Jean

Église du XIVe siècle, adjointe à la porte Est de la petite ville. Sont encore romans la façade à pignon et une partie des murs gouttereaux.

Sainte-Marie in Platea (sur le plateau)

Construite au XIVe siècle sur une église médiévale plus ancienne et complètement remaniée aux siècles suivants. Elle garde le clocher roman avec tambour et flèche ajoutés ultérieurement, et des fragments de la construction primitive encastrés dans le flanc droit.

Saint-Pierre (hameau de Campovalano)

Église bénédictine du haut Moyen Age (VIIIe siècle) reconstruite au XIIIe siècle : elle est précédée d'une petite cour avec portail d'accès. Façade simple à entrée unique. Sur la droite s'élève un robuste campanile de base carrée, détaché du corps de l'église. Intérieur très intéressant, exécuté en pierre de taille alternant avec des assises de brique, et plan basilical divisé en trois nefs par des piliers rectangulaires et des arcs brisés. Les supports médians, renforcés, supportaient un arc triomphal, disparu. Des trois absides terminales reste la plus grande (au centre) et l'absidiole de droite, partiellement rétablie. Dans les murs sont encastrés des fragments de l'époque romaine et du haut Moyen Age.

CAMPOVALANO

Voir CAMPLI.

CANZANO

Saint-Sauveur et Saint-Nicolas

Église romane des XIIe-XIIIe siècles. Façade et clocher en partie conservés. Portail simple de type bénédictin avec de gros chapiteaux en haut relief qui représentent les symboles des évangélistes. Plan basilical à trois nefs, avec abside centrale et une absidiole à gauche creusée dans l'épaisseur du mur. L'intérieur, en brique, présente des arcs brisés sur piliers dans les trois premières travées tandis que la zone du sanctuaire (qui les précède) est caractérisée par des arcs en plein cintre sur des colonnes aux chapiteaux cubiques. Fresques des XIVe et XVe siècles.

CAPESTRANO

Saint-Pierre ad Oratorium

Voir la notice brève p. 32.

CAPISTRELLO (hameau de Corcumello)

Église paroissiale Saint-Nicolas

Chaire de 1267, signée d'Étienne de Mosciano. Jadis dans l'église abbatiale Saint-Pierre de Corcumello, la chaire représente une évolution ultérieure par rapport aux exemples du siècle précédent : le garde-corps est de dimensions réduites, le modelé s'aplatit et on voit apparaître des incrustations de type cosmatesque.

CAPITIGNANO (hameau de Sivignano)

Saint-Pierre

Dans les piédroits du portail sont utilisés des fragments datant du haut Moyen Âge avec décor d'animaux.

CAPORCIANO

Saint-Pierre en Val

Petite église rustique, datée du XIIIe siècle d'après une fresque trouvée à l'intérieur (il s'agit d'une Déposition de croix, aujourd'hui au Musée national des Abruzzes). Plan en tau avec transept très allongé, résultant probablement de modifications ultérieures. Ciborium avec bases et chapiteaux romans. D'autres fresques sont datables des XIIIe et XIVe siècles.

Sainte-Marie de l'Assomption (hameau de Bominaco)

Voir la monographie p. 179.

Saint-Pellegrin

Voir la monographie p. 199.

CAPPUCCINI

Voir CATIGNANO

CARAMANICO

Saint-Dominique

Portail romano-gothique en façade; portail roman tardif sous un fronton triangulaire sur le côté.

Sainte-Marie-Majeure

Église romano-gothique du XVe siècle. Complètement transformée à l'intérieur, elle conserve à l'extérieur quelques éléments de la construction originelle brunis par le temps : la zone absidale à chevet plat où s'adossent des statues du XVe siècle de provenance diverse, et le portail au flanc gauche, de type romano-gothique, daté de 1476.

Saint-Thomas (hameau de San Tommaso)

Voir notice brève p. 34.

CARPINETO DELLA NORA

Saint-Barthélemy

Appartenant à une abbaye dont il reste les ruines, l'église fut fondée en 962, reconstruite au XIIe siècle et à nouveau au XIIIe. Elle possède des éléments romans et gothiques. Le plan est basilical à trois nefs séparées par de hauts arcs en plein cintre et quatre piliers rectangulaires. La façade est précédée d'un porche à deux arcades. Sur son flanc se trouve la souche du clocher primitif carré. Le sanctuaire, composé d'un transept se terminant par une seule abside rectangulaire, montre les fortes influences de l'architecture bourguignonne, soit à l'intérieur où d'imposants piliers polystyles soutiennent de hautes voûtes en croisée d'ogives, soit à l'extérieur où une grande rose et une fenêtre allongée interrompent le mur de l'abside, épaulé par des pilastres s'achevant en pyramide. A cette campagne bourguignonne appartient aussi le clocher-peigne. Intéressant portail rectangulaire formé d'un linteau et de piédroits de la même largeur, richement ornés de volutes d'acanthe parmi lesquelles évoluent des animaux divers. Le motif et la facture rappellent l'œuvre du maître Acutus à Pianella. Les chapiteaux et les bases de l'autel sont romans.

CARSÒLI
Église paroissiale Sainte-Victoire
Elle conserve deux portails bénédictins provenant de Sainte-Marie in Cellis, et transportés ici au XVIIe siècle.
Sainte-Marie in Cellis
Datée de 1132 en référence aux portes de bois (aujourd'hui au Musée national de L'Acquila), l'église fut lourdement remaniée à la Renaissance. De la période romane elle garde : le clocher de type lombard (où sont encastrés des fragments romans), le portail bénédictin à archivolte, linteau et piédroit décorés en bas relief et la très précieuse chaire, qui constitue le plus ancien exemplaire des Abruzzes (XIIe siècle). Le caisson semi-circulaire, décoré de rinceaux semblables à ceux du portail et d'un aigle stylisé sur le lutrin, est posé sur de robustes colonnes toscanes et l'on y accède par un petit escalier avec rambarde.

CASTELBASSO
Voir CASTELLALTO

CASTEL CASTAGNA (hameau de Santa Maria di Ronzano)
Sainte-Marie de Ronzano
Voir la monographie p. 209.

CASTELLALTO (hameau de Castelbasso)
Saint-Pierre
Portail roman daté de 1338.

CASTIGLIONE A CASAURIA (hameau de San Clemente a Casauria)
Abbaye Saint-Clément à Casauria
Voir la monographie p. 53.

CATIGNANO (hameau de Cappuccini)
Église des Capucins
Église romane remaniée. Sont d'origine les piédroits du portail, à rinceaux feuillus, et la Vierge à l'Enfant au tympan.

CELANO

Saint-Ange

Bordure du portail dans l'esprit roman datable du milieu du XIVe siècle.

Saint-François

Adossée aux anciennes murailles, elle conserve un grand portail roman ébrasé de la deuxième moitié du XIVe siècle.

Saint-Jean-Baptiste

Église érigée entre le XIIIe et le XVe siècle. Façade avec portail roman et rose. L'intérieur, restauré, conserve de l'état originel le plan à trois nefs séparées par des piliers octogonaux. Influence manifeste de l'école de L'Aquila (Sainte-Marie de Collemaggio).

Saint-Jean-l'Évangéliste

Fondée au XIe siècle, entièrement reconstruite au XIIIe et modifiée dans la suite, les éléments romans conservés sont : les lions accroupis, les bas-reliefs encastrés au-dessus des arcades de droite et les portails simples de type bénédictin avec des fragments remployés.

Sainte-Marie du Carmel

Conserve à l'intérieur un portail du XIIIe siècle provenant de l'église détruite du Saint-Sauveur de Paterno. Le décor du portail de type bénédictin rappelle, par ses motifs et sa facture, l'art du maître Acutus.

Sainte-Marie de Valleverde

Portail daté de 1508 avec un encadrement de type roman. Cloître du XVe siècle, avec arcs en plein cintre.

CHIETI

Cathédrale

Le plan de l'église (en croix latine à trois nefs séparées par des piliers) remonte au XIe siècle, mais son origine est beaucoup plus ancienne. Elle a subi des reconstructions et des remaniements aux XIVe, XVIe et XVIIIe siècles. Le clocher, du XIVe siècle pour la partie inférieure, fut terminé en 1498. Le plus intéressant est la crypte, réapparue après restauration sous son aspect originel (XIe siècle). Construite en brique, elle est divisée en deux nefs transversales asymétriques. A noter les fresques des XII-XIIIe siècles et les vestiges du haut Moyen Age conservés à l'intérieur.

Saint-François de Paule

Au flanc de l'église sont encastrés les piédroits et le linteau du portail primitivement en façade. D'après le décor, ces fragments sont datables de la fin du XIIe siècle ou du début du XIIIe. Une inscription sur le linteau indique l'auteur de l'œuvre : MAGISTER ALEXANDER HC PORTA FEC.

CITTA SANT'ANGELO

Collégiale Saint-Michel

Église du XIVe siècle à l'emplacement d'une construction plus ancienne (IXe). Transformée à l'époque baroque. Sous une partie du porche du XVe siècle se trouve muré un portail roman. Très intéressantes les deux plaques curvilignes au décor d'entrelacs appartenant à une chaire du IXe siècle, encastrées dans les pilastres aux côtés de l'escalier d'entrée.

Saint-François

Portail latéral roman du XIVe siècle, avec un encadrement du type d'Atria.

CIVITA DI BAGNO

Voir L'AQUILA.

CIVITAQUANA

Sainte-Marie des Grâces

Église romane du XIIe siècle en pierre et brique, de plan basilical à trois nefs avec absides. La façade à rampants interrompus a, plus que toute autre, un caractère nettement lombard : avec demi-colonnes adossées et arceaux. Elle présente une seule entrée de type bénédictin, surmontée d'une fenêtre triple due à la restauration et flanquée de deux fenêtres donnant dans les nefs latérales. Les arceaux marquent aussi les flancs de la nef principale et les absides scandées de lésènes. Les arcs en plein cintre de l'intérieur retombent sur des piliers et des colonnes couronnées de simples chapiteaux cubiques en pierre. La nef centrale est voûtée en berceau tandis que les latérales sont couvertes de petites voûtes d'arêtes. Au flanc du chevet s'élève le clocher carré.

CIVITARETENGA

Voir NAVELLI.

CIVITELLA DEL TRONTO

Sainte-Marie des Lumières

Cloître roman tardif datable de la deuxième moitié du XIVe siècle, avec piliers octogonaux et chapiteaux cubiques. Porche de type roman faussé par la restauration de 1960.

COPPITO

Voir L'AQUILA.

CORCUMELLO

Voir CAPISTRELLO.

CORFINIO

Saint-Marcel

Portail roman tardif.

Basilique de Valva (hameau de San Pelino)

Voir la monographie p. 63.

CUGNOLI

Saint-Étienne

Chaire. Dans l'église Saint-Pierre à l'origine, elle fut transférée à Saint-Étienne en 1528. En raison de sa similitude parfaite avec la chaire de Moscufo, ainsi que celle de Sainte-Marie in Valle Proclaneta à Rosciolo, elle est attribuée au maître Nicodème (on la date de 1166).

FARA SAN MARTINO

Saint-Martin en Val

Dégagée en 1891 après qu'une inondation l'ait enfouie dans le terreau, l'église conserve le portail du XIIIe siècle.

FILETTO

Voir L'AQUILA.

FONTECCHIO

Saint-François

Reconstruite au XIVe siècle et modifiée dans la suite. Le portail et l'oculus de la façade sont de type roman (XIVe siècle).

FOSSA

Couvent de Saint-Ange d'Ocre

Fondé sur un escarpement en 1242, agrandi au XVe siècle, remanié à l'époque baroque, il ne garde du bâtiment primitif que l'étage inférieur du cloître, formé d'arcs en plein cintre et de piliers polygonaux avec des chapiteaux de type cistercien.

Couvent du Saint-Esprit

Fondé dans la première moitié moitié du XIIIe siècle, il a l'aspect d'une forteresse, aux murailles en pierre à peine percées de quelque fenêtre double. L'église appartient au type de Saint-Pérégrin à Bominaco et de sa voisine Sainte-Marie ad Cryptas, avec une seule nef aux voûtes à nervure centrale d'influence bourguignonne. Les fresques encore en place sont elles aussi attribuables aux mêmes ateliers.

Sainte-Marie ad Cryptas

Construite dans la deuxième moitié du XIIIe siècle, dans un style déjà gothique cistercien, nous la mentionnons surtout pour sa ressemblance avec l'oratoire Saint-Pérégrin à Bominaco. Dans ce cas encore les fresques revêtent entièrement les parois internes. On distingue des fresques de l'école bénédictine attribuable au XIIIe siècle, d'autres fresques de l'école toscane (sur le mur de gauche) datable des siècles suivants.

FOSSACESIA (hameau de San Giovanni in Venere)

Saint-Jean in Venere

Voir la notice brève p. 35.

GAGLIANO ATERNO

Couvent de Sainte-Claire

Des restes de la construction du IXe siècle sont visibles dans les piliers et les arcs d'une portion du cloître.

GESSOPALENA

Sainte-Marie des Protégés

Le portail latéral constitue un exemple intéressant de la persistance de l'esprit roman dans un milieu déjà Renaissance (XVIe siècle).

Sainte-Marie-Majeure

Portail romano-gothique.

GIULIANOVA
Sainte-Marie de la Mer

D'origine antérieure à l'an mil, reconstruite au XIIe et au XIVe siècle. Le plan à deux nefs remonte au XIVe : à l'origine l'église était à trois nefs terminées par des absides. La façade, en brique, a perdu ses lignes primitives : elle est à pignon bordé d'arceaux et un clocher-peigne en occupe complètement le côté droit. Le portail en pierre, fortement décentré, remonte au XIVe siècle et rappelle le type d'Àtria. De l'édifice du XIIe siècle restent deux colonnes en brique et le flanc droit avec de petites fenêtres et deux portails de type bénédictin.

GUARDIAGRELE
Saint-François (première moitié du XIVe siècle)

Cloître romano-gothique à piliers polygonaux (étage supérieur muré).

Sainte-Marie-Majeure

Monumental édifice gothique avec éléments romans, en pierre de la Maiella. La façade est constituée principalement par le clocher central (XIIe-XIIIe siècles) dans laquelle s'ouvre le portail au cintre brisé. Sur le flanc gauche court une galerie aux arcs brisés, tandis que sur le flanc droit se succèdent de hautes colonnes supportant le toit, formant un passage couvert. Quelques chapiteaux de ces colonnes sont romans (XIIe siècle). L'intérieur est complètement refait.

ISOLA DEL GRAN SASSO D'ITALIA (hameau San Giovanni al Mavone)
Saint-Jean ad Insulam ou al Mavone

Importante église romane (XIIe-XIIIe siècle) appartenant à un monastère ancien dont il reste quelques vestiges. Le plan est basilical à trois nefs séparées par des piliers et des colonnes (ces dernières dans la zone du sanctuaire surélevée) et se termine par une seule abside centrale. La façade, en pierre de taille, est l'un des premiers exemples de façade à terminaison horizontale : peut-être conséquence de la surélévation des nefs latérales, visibles au recours à des assises de brique et de pierre alternées au lieu du parement originel en pierre de taille qui caractérise la zone inférieure des flancs. Dans la façade principale s'ouvre un portail de type bénédictin avec un pseudo-porche surmonté d'un oculus et flanqué de deux fenêtres doubles. Les piédroits du portail sont constitués de bas-reliefs avec d'intéressants éléments du bestiaire médiéval, tandis que sur l'archivolte et au linteau se déroulent les rinceaux habituels. Le décor du portail au flanc de droite, limité à l'archivolte, est plus simple. Le demi-cylindre de l'abside est de type lombard avec demi-colonnettes et arceaux. Le clocher-peigne sur la souche de la tour campanaire est attribué à une époque plus tardive. Éléments intéressants à l'intérieur de l'église : les chapiteaux des supports aux formes végétales grossières, ainsi que les fresques du cul-de-four absidal datables du XVe siècle. Sous le sanctuaire, on peut accéder à la belle crypte à trois nefs, divisée en travées à voûtes d'arêtes sur des piliers circulaires peu élevés.

LANCIANO
Saint-Blaise

Intéressante église romane de date incertaine (1059?), fermée au culte. De la période médiévale elle garde la crypte avec deux colonnes. Clocher romano-gothique (1340).

Saint-François

Construite en 1258 sur un très ancien édifice basilien, elle ne conserve de cette époque qu'une partie du clocher.

Saint-Nicolas

Clocher romano-gothique semblable à celui de Saint-Blaise et de l'église Saint-Jean détruite.

Tour Saint-Jean

Clocher romano-gothique en brique, datable du XIIIe siècle. C'est l'unique souvenir de l'église Saint-Jean-Baptiste détruite pendant la dernière guerre.

LORETO APRUTINO

Saint-François

Portail romano-gothique doté d'un fronton (XIIIe-XIVe siècles).

LUCO DI MARSI

Sainte-Marie des Grâces

Église bénédictine d'origine ancienne (Xe siècle) reconstruite au XIIIe. De cette reconstruction elle conserve la partie inférieure de la façade principale à pignon, avec trois portails romans. La structure de l'édifice se compose de trois nefs terminées par une abside carrée. Les chapelles latérales sont l'œuvre de modifications ultérieures.

LUCOLI. HAMEAU DE LUCOLI ALTO

Saint-Jean-Baptiste

Monastère du XIIe siècle plusieurs fois restauré. De roman il conserve : des éléments du flanc droit de l'église. La structure du clocher et une partie du cloître.

LUCOLI ALTO

Voir LUCOLI.

MAGLIANO DEI MARSI

Sainte-Lucie

Église du XIIIe siècle d'influence bourguignonne, remaniée au XVIIe, endommagée par les tremblements de terre et restaurée. La façade à terminaison horizontale avec portails et rose gothiques, conserve quelques plaques encastrées qui constituaient probablement la clôture du sanctuaire. La chaire a été reconstituée avec des éléments d'époques diverses.

Sainte-Marie des Grâces (hameau de Rosciolo dei Marsi)

Église gothicisante agrandie au XVe siècle. De l'église antérieure elle garde le portail latéral de droite de style bénédictin, avec piédroits et linteau décorés de rinceaux et de petits lions au départ de l'archivolte.

Sainte-Marie in Valle Porclaneta (hameau de Santa Maria in Valle Porclaneta)

Voir la monographie p. 117.

MANOPPELLO
Église paroissiale Saint-Nicolas (XIVe siècle)
Portail roman.

MASSA D'ALBE. HAMEAU D'ALBE
Saint-Nicolas
Façade remontée, provenant d'une église détruite par le tremblement de terre. Portail simple de tradition romane et rose romano-gothique (deuxième moitié du XIVe siècle).
Saint-Pierre ad Alba Fucens
Voir la monographie p. 107.

MORRO D'ORO
Saint-Antoine
Portail romano-gothique (XIVe siècle).
Sainte-Marie de Propezzano (hameau de Santa Maria di Propezzano)
Voir notice brève p. 38.

MOSCUFO. HAMEAU DE SANTA MARIA DEL LAGO
Sainte-Marie du Lac
Voir la monographie p. 169.

NAVELLI. HAMEAU DE CIVITARETENGA
Couvent Saint-Antoine
Intéressant cloître du XIIIe siècle avec colonnes et piliers polygonaux alternés, et chapiteaux élégants de type cistercien qui rappellent ceux de Sainte-Marie d'Arabona.

NERETO
Saint-Martin (début du XIIe siècle)
Église basilicale à trois nefs et une abside : de la construction originelle elle garde les robustes colonnes monolithiques et les chapiteaux de facture fruste. La façade a été modifiée : au portail demeure un bas-relief représentant saint Martin et le pauvre (XIIe siècle).

NOTARESCO. HAMEAU DE SAN CLEMENTE AL VOMANO
Saint-Clément sur le Vomano
Voir notice brève p 40.

OFENA
Saint-François
Portail roman.
Saint-Pierre a Cryptis (à l'état de ruine)
Porche avec fenêtre double et portail romans de la fin du XIIe siècle.

ORTUCCHIO
Saint-Orant
Existant dès le XIIe siècle sous le titre de Sainte-Marie, elle fut

renversée par le tremblement de terre de 1915 et reconstruite ensuite (1968-1969). Au flanc droit, des restes de murs mégalithiques. Précieux du point de vue artistique, le portail roman du XIIe siècle, avec des ornements inhabituels dans la région et probablement d'ascendance sicilienne.

PAGANICA

Voir L'AQUILA.

PALOMBARO

Saint-Ange

Il s'agit des restes d'une église du XIe siècle à l'intérieur d'une grotte près de Coste Manganelle. L'extérieur du chevet demeure avec une corniche en saillie et des arceaux aveugles.

PENNE

Cathédrale Saint-Maxime

Voir notice brève p. 41.

Sainte-Marie in Colromano

Église d'origine ancienne, reconstruite au XIIIe siècle et remaniée aux siècles suivants. Le portail aux lions stylophores, avec une Vierge à l'Enfant au tympan (XIVe siècle), est encore basé sur des modèles romans.

PESCASSEROLI

Saint-Paul

Souche du clocher.

PESCINA

Saint-François ou *Saint-Antoine* (XIVe siècle)

Portail roman.

PESCOCOSTANZO

Sainte-Marie du Col

Sur le côté un grand portail roman (1275), jadis en façade.

PESCOSANSONESCO

Sainte-Marie de l'Assomption

Elle conserve une précieuse crypte à une seule abside du XIIe siècle, divisée en dix travées carrées couvertes de voûtes d'arêtes qui retombent sur des colonnes et des chapiteaux de remploi. Restes de fresques de la même époque.

Saint-Nicolas (XIIe-XIIIe siècles)

Intéressant édifice en pierre (malheureusement en train de s'écrouler) à nef unique terminée par une abside semi-circulaire. Façade inhabituelle avec clocher-peigne central.

Le portail est de type bénédictin «compliqué» d'un double ressaut : seuls sont décorés les chapiteaux des piédroits (inspirés de ceux de Casauria) et le tympan avec rosace abruzzaine. Restes de fresques à l'intérieur.

PIANELLA. HAMEAU DE SANT'ANGELO

Saint-Ange ou *Sainte-Marie-Majeure*
Voir notice brève p. 42.

POPOLI
Saint-François
Portail très tardif mais encore de type roman (XVe siècle).

PRATA D'ANSIDONIA
Saint-Nicolas
Elle conserve la chaire provenant de l'église Saint-Paul de Peltuino. (Pour la description voir la notice de Saint-Paul de Peltuino).
Saint-Paul de Peltuino (hameau de San Paolo di Peltuino)
Voir notice brève p. 44.

PRETURO
Voir L'AQUILA.

QUADRI
Sainte-Marie de la Ronceraie
Ancienne église abbatiale du XIIe siècle, à l'état de ruine. Elle s'élève sur le podium d'un temple italique.

ROCCA DI BOTTE
Saint-Pierre
Chaire et ciborium au décor de style cosmatesque, sur des structures propres à la tradition locale. Datables de 1263.

ROCCA DI CAMBIO
Sainte-Lucie (XIIIe siècle)
Intéressant édifice de plan en tau formé d'un corps basilical à trois nefs et un transept en saillie. Les arcades au cintre brisé ont pour support des piliers rectangulaires. Du XIIIe siècle la façade ne conserve que la petite rose rétablie à cet emplacement par la restauration. Le portail du XVe siècle rappelle les modèles romans.
Très précieuses fresques qui à l'intérieur décorent le transept (XIVe-XVe siècle).

ROCCA MONTEPIANO
Ruines du *Monastère de la Sainte-Croix* (XIIIe siècle).

ROSCIOLO DEI MARSI
Voir MAGLIANO DEI MARSI.

SANT'ANGELO
Voir PIANELLA.

SAN BENEDETTO DEI MARSI
Sainte-Sabine
Grand portail roman d'influence souabe, avec de nombreux ressauts sculptés d'une variété de motifs ornementaux. Encadré d'une bordure rectangulaire, le portail présente quelques éléments gothiques harmonieusement fondus dans l'ensemble de la composition. Datable

des XIIIe-XIVe siècles.

SAN CLEMENTE A CASAURIA
Voir CASTIGLIONE A CASAURIA.

SAN CLEMENTE AL VOMANO
Voir NOTARESCO.

SANT'EUSANIO FORCONESE
Saint-Eusiane
Église de fondation ancienne (VIIIe-IXe siècle) comme l'attestent des fragments classiques et du haut Moyen Age encastrés dans les murs, ravagée par le tremblement de terre au XVe siècle et reconstruite. De l'époque romane elle conserve : une partie de la façade, avec le portail bénédictin plus tardif, décoré de petits caissons (piédroits et linteau) et de rinceaux (archivolte); le flanc gauche avec des lésènes; la partie basse du chevet et surtout la grande crypte, à sept nefs divisées en vingt-huit petites travées voûtées d'arêtes et terminées par trois absides.

SAN GIOVANNI AL MAVONE
Voir ISOLA DEL GRAN SASSO.

SAN GIOVANNI IN VENERE
Voir FOSSACESIA.

SAN GREGORIO
Voir L'AQUILA.

SAN LIBERATORE ALLA MAIELLA
Voir SERRAMONACESCA.

SANTA MARIA DEL LAGO
Voir MOSCUFO.

SANTA MARIA DEL PONTE
Voir TIONE DEGLI ABRUZZI.

SANTA MARIA DI PROPEZZANO
Voir MORRO D'ORO.

SANTA MARIA DI RONZANO
Voir CASTELCASTAGNA.

SANTA MARIA IN VALLE PORCLANETA
Voir MAGLIANO DEI MARSI.

SANT'OMERO
Sainte-Marie a Vico
Voir notice brève p. 45.

SAN PANFILO D'OCRE
Saint-Sauveur
Les fragments d'un portail du XIIe siècle, encastrés dans la façade,

attestent la présence d'une église romane antérieure.

SAN PAOLO DI PELTUINO

Voir PRATA D'ANSIDONIA.

SAN PELINO

Voir CORFINIO.

SAN PIO DELLE CAMERE

Saint-Étienne (deuxième moitié du XIIIe siècle)

De la construction originelle reste le plan à nef unique avec abside rectangulaire, le portail secondaire de type bénédictin à piédroits lisses et avec tympan fresqué au XVe siècle, et des fragments romains encastrés dans la maçonnerie.

SAN TOMMASO

Voir CARAMANICO.

SAN VITO

Voir VALLE CASTELLANA.

SAN VITTORINO

Voir L'AQUILA.

SCANNO

Sainte-Marie du Val

Édifice du XIIIe siècle transformé au XVIe. Il conserve le portail de style gothique classicisant sur des modèles romans (en usage en Italie méridionale) et la construction à trois nefs séparées par des piliers, revêtue d'oripeaux baroques.

SCOPPITO

Saint-Valentin

Église bénédictine à nef unique, érigée à l'époque romane et remaniée au temps du baroque. Portail avec archivolte légèrement brisée, sans décor. De part et d'autre de l'entrée sont encastrés deux masques de lion, utilisés comme bénitiers.

SERRAMONACESCA

HAMEAU DE SAN LIBERATORE ALLA MAIELLA

San Liberatore alla Maiella

Voir la monographie p. 125.

SIVIGNANO

Voir CAPITIGNANO.

SULMONA

Cathédrale Saint-Pamphile

Elle a une origine très ancienne mais a subi au cours des siècles des dommages et des restaurations multiples. Le bâtiment actuel est conforme au type de L'Aquila au XIVe siècle avec de lourdes adjonctions baroques qui ne permettent pas une lecture facile de l'intérieur.

De l'époque romane il garde les seize colonnes et les chapiteaux de l'intérieur basilical, les absides et surtout la crypte (XIe siècle) de grande dimension. Celle-ci est divisée en sept petites nefs voûtées d'arêtes, portées par des colonnes ornées de chapiteaux anciens où l'on trouve un décor de vannerie, géométrique ou végétal.

Saint-François de la Scarpa

Fondée à nouveau en 1290 à l'emplacement d'une église antérieure, dévastée par un tremblement de terre et reconstruite. Du XIIIe siècle elle garde un grand portail roman ébrasé dans la zone du sanctuaire et des restes des absides polygonales.

TERAMO

Cathédrale Saint-Bérard

Voir notice brève p. 47.

Saint-Antoine jadis *Saint-François*

Construction en brique complétée au XIIIe siècle, elle fut remaniée au cours des deux siècles suivants. Portail de style roman tardif attribué à l'année 1327.

Saint-Gétule ou *Sainte-Anne,* anciennement *Sainte-Marie Aprutiensis*

Église d'origine très ancienne qui fut la première cathédrale de Teramo. Reconstruite au XIIe siècle, elle fut presque entièrement brûlée en 1155. De l'incendie ont seuls été sauvés les trois travées du sanctuaire construites en pierre et le précieux triforium de l'abside rectangulaire, constitué de colonnes en marbre cipolin et de chapiteaux corinthiens remployés.

TIONE DEGLI ABRUZZI

HAMEAU DE SANTA MARIA DEL PONTE

Sainte-Marie du Pont

Église romane du XIIe siècle, remaniée plusieurs fois aux siècles suivants. La restauration n'a pas dissimulé les nombreuses campagnes de reconstruction. A la première campagne romane (deuxième moitié du XIIe siècle) remonte l'abside qui cependant est couverte d'un cul-de-four dont la section est un cintre brisé.

TORNIMPARTE

HAMEAU DE VILLAGRANDE

Saint-Pamphile

Église romane remaniée aux XVe-XVIIe siècles dont le plan est à quatre nefs. En façade, sous le porche, restent deux vieux portails d'origine (fin du XIIIe siècle) et une partie de la maçonnerie du parement en pierre de taille. A l'intérieur, les piliers carrés renferment des colonnes romanes.

TOSSICIA

Saint-Antoine abbé

Fastueux portail signé d'Andrea Lombardo et daté de 1471 mais encore de tradition romane (avec des éléments gothiques classicisants).

TRASACCO

Saints-Rufin et Céside

De la construction du XIIIe siècle demeurent seulement les supports et en partie les arcs de la nef centrale. Dans le flanc droit s'ouvre le «portail des hommes» (XVe siècle) qui accueille des éléments Renaissance dans une structure encore romane. Dans l'axe de la nef centrale s'ouvre le «portail des femmes», plus ancien que le précédent, avec piédroits et linteaux décorés des rinceaux d'acanthe classiques.

TURRIVALIGNANI
Saints-Jean et Vincent
L'église romane garde la structure basilicale à trois nefs avec absides semi-circulaires. Seule la façade a été remplacée, pour le reste l'église reprend le type bénédictin répandu aux XIe et XIIe siècles. L'extérieur est revêtu de moellons avec décor d'arceaux et fenêtres étroites pour éclairer l'intérieur. Dans le flanc droit s'ouvre un beau portail à double ressaut. L'intérieur présente des supports de section variable, couronnés de chapiteaux qui reprennent des motifs géométriques et végétaux schématiques, outre ceux de type grossièrement épannelés et à la «corniche bénédictine» composée d'éléments décoratifs classiques (San Liberatore alla Maiella). Sanctuaire surélevé pour faire place à la crypte située au-dessous.

VALLE CASTELLANA
Sainte-Rufine (hameau de San Vito)
Église du XIIe siècle à nef unique se terminant par une abside semi-circulaire. La masse et les caractéristiques du clocher, au flanc du sanctuaire, en révèlent l'utilisation comme tour de défense.
Saint-Guy
Petite église en moellons du XIIe siècle au plan semblable à celui de la précédente dont elle se distingue par l'absence de l'arc transversal et par la position du clocher adossé à la façade (caractéristique peu fréquente dans la région). Adjonctions postérieures sur le côté gauche.

VASTO
Cathédrale Saint-Joseph
Façade du XIIIe siècle avec portail romano-gothique, signé de Ruggero de' Fragenis et daté de 1293. Il a fourni son modèle au portail gothique de l'église Saint-Pierre.

VILLAGRANDE
Voir TORNIMPARTE.

VILLA SANT'ANGELO
Saint-Michel
Édifice du XIVe siècle. A l'extérieur de l'abside est encastré un élément décoratif avec croix grecque, attribuable au VIIIe siècle.

VITTORITO
Saint-Ange
Dans l'église du XVe siècle demeurent des fragments d'une construction antérieure du haut Moyen Age, parmi lesquels les panneaux sculptés d'un chancel (VIIIe siècle).

MOLISE

NOTES SUR
QUELQUES ÉGLISES ROMANES DE MOLISE

1 *GUGLIONESI. SAN NICOLA. BIEN ORIENTÉE VERS L'EST, A LA PÉ*-riphérie de l'agglomération de Guglionesi, l'église paroissiale Saint-Nicolas est témoin du culte du saint de Bari répandu tout le long de la côte de la Molise depuis des temps très anciens (peut-être avant l'an mil).

Comme le rapporte Morlacchetti, l'église est mentionnée pour la première fois dans le Codex diplomatique du monastère bénédictin Sainte-Marie de Tremiti, où elle est citée parmi les quatre églises données au monastère en 1049 par quelques seigneurs de Guglionesi.

Et en effet plus d'un siècle après, en 1173, un privilège du pontife Alexandre III confirme l'appartenance de Saint-Nicolas au susdit monastère.

De l'église de ce temps demeure seulement aujourd'hui l'enveloppe romane extérieure (XIIe siècle), l'intérieur ayant été complètement refait au XIIIe siècle avec des arcs brisés et probablement une couverture voûtée (comme semblent le suggérer les piliers).

A l'intérieur, il ne reste sans doute de l'époque romane que les grandes arcades en plein cintre du sanctuaire avec leurs piliers qui, par leur position et leur dimension, rappellent un modèle répandu dans les Marches.

Tombé dans l'abandon au cours des ans et peut-être à la suite d'un tremblement de terre, l'édifice fut remis en état au XVIIIe siècle selon les critères de restauration de l'époque baroque, destinés non seulement à consolider le monument mais surtout à en transformer l'aspect selon le goût du temps.

Les adjonctions de cette intervention qui empêchaient de déchiffrer correctement l'édifice ont été supprimées par la restauration de 1971-1972 qui a mené à bien une série d'opérations que l'on peut résumer ainsi :

– suppression des crépis et stucs baroques;
– suppression de la tribune près de l'entrée;
– élimination des voûtes et construction d'une couverture à charpente apparente;
– reconstruction de la crypte romane dont on avait trouvé de faibles traces au cours des travaux sous le sanctuaire, avec la surélévation de ce même sanctuaire et la construction des escaliers d'accès à la crypte et au sanctuaire. Ces travaux de restauration nous paraissent fort discutables parce que d'une part on a retrouvé l'espace gothique en supprimant les éléments baroques, et d'autre part on l'a faussé par la reconstruction totale d'un élément roman comme la crypte, qui avait probablement été éliminée au cours des travaux du XIIIe siècle précisément en raison de son incompatibilité avec le nouvel aspect que l'on voulait donner à l'édifice.

Visite. La disposition de l'édifice, doté de trois nefs avec absides que séparent des piliers et des arcs, et parcouru à l'extérieur par une série continue d'arcs aveugles, se rattache à un type venu des Pouilles, surtout mis en valeur dans la Molise par la construction de la cathédrale de Termoli.

Mais si cette dernière reprend le modèle de la cathédrale de Troia, tout entière entourée d'une suite d'arcs de même hauteur et de même profondeur, l'église Saint-Nicolas semble plutôt ressentir l'influence de l'exemple que constitue son homonyme à Bari (1087) : les arcades

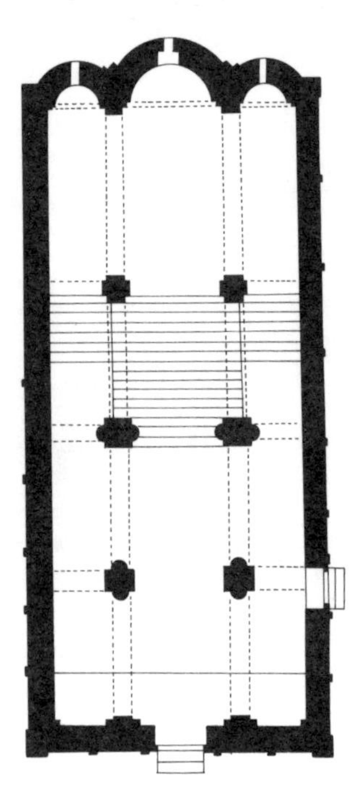

GUGLIONESI

sur les flancs rappellent en effet celles qui figurent au transept de l'église de Bari (qui continuent sur ce mur le motif des profondes arcades latérales), sans lien avec les arcades de la façade, de hauteurs diverses, qui simulent la présence ou rappellent l'existence d'un narthex.

Comme l'a remarqué Mancini, l'église se présente comme le noyau à l'origine de la construction qui l'entoure, surgie à partir du XVIIIe siècle après la restauration de l'édifice et adossée à celui-ci au point de masquer en partie le flanc gauche.

A l'extérieur les murs posés sur une plinthe de pierre crépie, ajoutée à la suite de l'abaissement de la chaussée, ont un aspect très usé dû au matériau même de la construction : le grès friable.

La façade principale à rampants interrompus, plutôt élancée, est dans sa partie inférieure creusée de cinq arcs aveugles reçus par des lésènes et des chapiteaux très abîmés.

Sous l'arcade centrale, se trouve l'entrée surmontée d'un tympan avec une sculpture en méplat représentant un lion et un griffon affrontés, entre lesquels s'insèrent deux rosaces et un masque d'animal.

La première arcade aveugle de droite présente une pierre curieuse sur laquelle est sculpté un visage maigre entre deux grandes mains comme dans l'iconographie paléochrétienne de l'orant.

Dans la partie haute de la façade, au parement fait de blocs plus petits, s'ouvre un simple oculus bordé de plaques claires et sombres alternées.

Le long des flancs du corps basilical se poursuit le motif des arcs aveugles, simples et doubles, dessinés par la pierre sur le parement irrégulier, sans l'effet plastique produit en façade.

Du côté droit se trouve un portail secondaire de type bénédictin, sans décor, auquel devait correspondre sur le flanc gauche une entrée similaire, aujourd'hui murée et seulement rappelée par le linteau et l'archivolte apparaissant au nu du mur.

La couverture à deux versants, qui n'arrive pas jusqu'au mur de façade, présente des chevrons de combles, visibles des flancs de l'édifice.

Encore plus usé et assombri par le temps, le chevet possède trois absides percées d'archères et décorées d'arcs aveugles sur pilastres et impostes, ressemblant par le style, selon la remarque de Mancini, aux absides de Santa Maria a Mare à Campomarino et de San Rocco à Petacciato. Dans la partie haute du mur terminal, une intervention plus tardive a ouvert trois fenêtres rectangulaires qui ont entaillé le haut des toits coniques des absides faits de rangées de lauses.

A la suite des travaux de remise en valeur accomplis par la restauration, l'intérieur basilical se présente dans une nouvelle disposition des masses et des lignes, mise en évidence par la pierre laissée apparente sur les arcs, sur les piliers et au cul-de-four de l'abside centrale. La lumière se déverse en abondance par les fenêtres carrées de la nef centrale, faisant resplendir le crépi très clair qui revêt les murs de l'église.

Les trois nefs sont séparées par trois paires de piliers cruciformes qui reçoivent les arcs de grandes arcades et ceux qui séparent les travées des nefs latérales.

Tous les arcs sont brisés de façon très marquée, sauf ceux des dernières grandes arcades, en plein cintre, dont le point de départ est plus élevé. A la hauteur du second pilier part en effet un escalier raide, œuvre de la restauration, avec seize marches et une rampe en fer, qui mène au sanctuaire sous lequel s'étend la crypte.

Les deux premières paires de piliers reposent sur de grandes bases cubiques en pierre : chaque support est constitué de deux pilastres et de deux demi-colonnes décorées de chapiteaux géométriques et végétaux.

A noter le fait que les supports du côté de la nef centrale (pilastres pour les deux premiers piliers et demi-colonnes dans le cas des seconds, du fait de l'orientation différente des piliers) se terminent à la hauteur de l'arc : au point d'où devaient partir les voûtes gothiques.

Les piliers du sanctuaire, plus petits et

formant une simple croix, se terminent par une moulure linéaire.

Dans les nefs latérales, à la troisième travée, deux escaliers de sept marches descendent à la crypte, reconstruite au cours de la dernière restauration dirigée par Mancini.

Selon cet archéologue, cette chapelle remonte à l'époque paléochrétienne, à en juger surtout par trois chapiteaux «caractéristiques de l'époque à laquelle on les attribue».

Ada Trombetta, qui en un premier temps était d'accord sur cette hypothèse, a ensuite repoussé la datation de la crypte au XIIe siècle, en observant que les susdits chapiteaux «reprennent le motif observé à Campomarino... avec un effet plastique si marqué qu'il ne laisse subsister aucun doute sur son identité romane».

La crypte a été reconstruite, d'après les hypothèses du restaurateur, sur plan carré avec trois absides; elle présente un plafond plat et des piliers centraux dus à la restauration.

Aux murs s'adossent six demi-colonnes avec des chapiteaux cubiques chanfreinés ou à feuillages au dessin très accentué (voir plus haut).

2 MATRICE. SANTA MARIA DELLA STRADA. HISTOIRE : SUR UNE COL-

line formant point de vue, à quelques kilomètres de l'agglomération de Matrice, se trouve isolée l'église Santa Maria della Strada (Notre-Dame de la Route) : ainsi appelée peut-être d'après un titre oriental de la Vierge (Hodigitria : Guide de la Route) ou du fait de la présence d'une draille ancienne.

L'architecture de l'édifice se rattache à un type répandu au cours des XIIe et XIIIe siècles, mais certain document incite à ne pas exclure la possibilité de l'existence antérieure d'un monument religieux, au même endroit, dès le XIe siècle.

L'église Santa Maria della Strada est mentionnée explicitement dans un document provenant des archives historiques de Bénévent qui nous permet de placer sa consécration en 1148, et dans une bulle pontificale de 1153, qui confirme son appartenance à l'archevêque Pierre de Bénévent.

A. Trombetta a soutenu que l'édifice fut construit au XIIe siècle et décoré au XIIIe en raison de la supériorité qu'il présente par rapport à Sainte-Marie de Canneto, contrairement à l'opinion de Bertaux qui estime que l'église est l'œuvre des équipes au travail dans l'abbaye située sur les rives du Trigno.

Mais s'il est vrai qu'on observe une évolution artistique par rapport à Canneto, il est non moins vrai qu'on ne comprend pas pour quelle raison l'abbaye aurait dû être décorée si longtemps après sa consécration, d'autant que l'unité de conception qui marque l'édifice tout entier semble exclure un tel délai.

L'église s'est maintenue jusqu'à nos jours dans un bon état de conservation; au cours de la restauration de 1968, on a supprimé les voûtes en berceau et à nervures d'une époque postérieure à la construction romane, et ont été rétablies les fermes apparentes.

Visite. *L'édifice est construit en blocs de pierre d'un gris ferreux sur un plan qui reprend le schéma basilical cher aux bénédictins, à trois nefs avec abside séparées par des colonnes et des arcs en plein cintre.*

Malgré ses dimensions modestes, l'église domine le paysage par l'éclat presque métallique de ses volumes, modulés selon une harmonie de proportions qui ne peut être le fruit du hasard mais résulte d'une étude précise.

La construction atteint en effet un haut degré de perfection qui en fait l'exemple le plus achevé et le plus représentatif de l'art roman de la Molise : réponse régionale aux recherches architecturales qui s'approfondissaient partout en conséquence d'une nouvelle expérience du divin.

Les souvenirs de réalisations dans d'autres régions (en particulier les Abruzzes, la Campanie et les Pouilles, en raison d'une dépendance politico-religieuse aussi bien que de liaisons routières) resurgissent spontanément dans le projet mais sont immédiatement subordonnés à la grammaire d'un langage autonome.

Fort intéressante est la solution offerte par la façade principale à rampants interrompus, «ciselée» en accord avec l'entrée principale comme une pièce

MATRICE

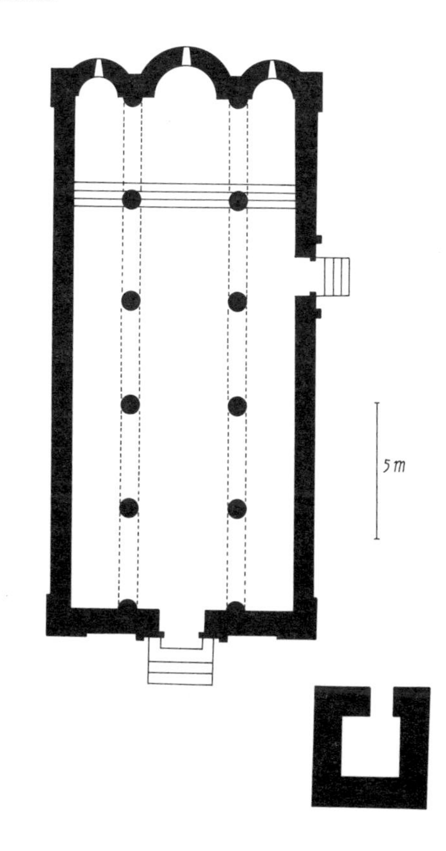

d'orfèvrerie. Le portail à double retrait est précédé d'un avant-corps ramassé entièrement sculpté et est flanqué de deux arcades aveugles aux tympans très ornés : les motifs sont nettement empruntés aux Pouilles mais réinterprétés de façon originale.

Au-dessus de l'avant corps s'ouvre une curieuse rose formée d'un petit oculus autour duquel est disposé un cercle de douze trous séparés les uns des autres par de petits pilastres diversement décorés.

Aux côtés de la roue sont encastrés deux bustes de bovins (sujet particulièrement fréquent dans l'art local et peut-être lié à la légende du mythique Roi-Bœuf) et au sommet du toit se trouve un aigle héraldique (symbole du Christ).

Les représentations du portail central et des tympans constituent une « somme » iconographique où se rencontrent même des thèmes laïcs et profanes. Il est difficile de reconstituer avec précision l'imaginaire collectif exprimé par cette sculpture : les interprétations en sont nombreuses et contradictoires.

Les trois tympans sont entourés de bordures à rosaces, entre lesquelles se déroulent des scènes fort diverses :

– tympan de droite : au registre supérieur apparaît un cheval bridé, suivi d'un homme brandissant une sorte de fourche, tandis que dans la partie basse se trouvent trois médaillons qui encerclent deux cerfs et un personnage avec une trompe de chasse, en qui Mme Jamison a reconnu le paladin Roland;

– tympan de gauche : ici encore Mme Jamison reconnaît une scène de chevalerie et plus précisément la délivrance de Florete par Floriant (de la « Chanson de geste de Floriant ») ;

– tympan central : cette fois l'espace semi-circulaire est entièrement rempli de motifs purement décoratifs (palmettes, serpents, denticules et colonnettes en éventail).

Plus mystérieuses sont les scènes figurant au porche où se mêlent de façon chaotique des légendes, des récits sacrés et des récits de chevalerie. De même on n'a pu identifier avec certitude le personnage représenté au fronton triangulaire (la Vierge? une châtelaine locale? Marc-Aurèle?).

Tout simple est par contre le décor des flancs du corps basilical, limité à une série d'arceaux, interrompus du côté droit par une entrée secondaire. Cette fois encore il s'agit d'un portail à double ressaut (sans avant-corps) avec tympan sculpté : la scène semble représenter une ascension (du Christ selon Ambrosiani, d'Alexandre le Grand selon Mme Jamison).

Les trois absides au chevet sont en faible saillie par rapport au mur, et tout juste percées de trois petites fenêtres en archères. A cause de la pente du terrain, elles présentent en outre une plinthe de renforcement en pierres irrégulières.

Les trois corps cylindriques sont couronnés dans le haut par une moulure linéaire (qui se continue de façon inhabituelle au-delà de l'arrondi) et couverts de pierres en cercles concentriques.

Tout l'édifice est fondé sur une plinthe en blocs de pierre équarris et serrés, mais plus petits que le reste du mur.

L'intérieur de l'espace basilical est plongé dans une obscurité profonde en raison de l'absence presque totale de fenêtres.

Les arcs en plein cintre sont portés par huit robustes colonnes maçonnées et deux paires de demi-colonnes de part et d'autre de l'entrée et de l'abside centrale.

Un raffinement d'exécution nouveau marque les chapiteaux qui constituent une interprétation recherchée de thèmes ornementaux déjà observés dans les églises Sainte-Marie de Canneto et Saint-Georges de Petrella Tifernina. La simplicité schématique de l'abbaye sur le Trigno et la vigoureuse fantaisie de l'église de Petrella sont ici remplacées par une sobre élégance du modelé qui rend les formes végétales (toujours très épaisses) parfaitement accordées à la structure architecturale soit dans la courbure naturelle des couronnes qui adhèrent à la corbeille, soit dans le délicat déroulement de rinceaux le long du tailloir.

Le choix même de motifs tirés exclusivement du monde végétal plutôt que de sujets symboliques ou historiques (laissés à l'ornementation extérieure), dénote en ce cas un intérêt porté uniquement sur la recherche décorative.

Les chapiteaux peuvent être regroupés schématiquement en un certain nombre de types :

– type à feuilles d'angle (demi-colonnes de la nef latérale de gauche et demi-colonne à droite du sanctuaire) ;

– type sans corbeille avec tailloir en tablette carrée (première colonne de gauche, deuxième colonne de droite) ;

– type à feuilles alignées sans dentelure (troisième et quatrième colonnes de gauche) ;

– type à corbeille décorée de motifs de feuilles soignées et complexes (première demi-colonne de droite, deuxième colonne de gauche) ;

– type à feuillage dentelé et souplement plissé (première et troisième colonnes de droite) ;

– type avec couronne de rosaces, déjà vues sur la bordure des tympans (quatrième colonne de droite).

Les bases des supports sont en général polygonales, sauf dans le cas de la troisième colonne de gauche (base carrée).

Au sein de cet espace uniforme et renfermé dans sa pesante enveloppe de pierre, le sanctuaire se trouve à peine marqué par quelques marches.

Une caractéristique saillante du roman de la Molise et en particulier de l'église Santa Maria della Strada semble précisément être ce sens de la masse ferme et ramassée d'où même le décor et les parties en saillie (avant-corps, absides, etc.) ne se distinguent qu'à peine.

Par contre le campanile est nettement détaché de l'église comme un édifice à part, et il présente les marques de nombreuses restaurations.

3 *ROCCAVIVARA. SANTA MARIA DI CANNETO. HISTOIRE : L'AB*baye bénédictine Sainte-Marie de Canneto est située à faible distance de Roccavivara, en un site isolé sur la rive d'un fleuve, le Trigno qui marque la frontière entre les Abruzzes et la Molise.

L'église est mentionnée pour la première fois

dans un diplôme du duc de Bénévent, Gisulfus Ier (686-706) où l'on parle de sa dévastation due à un incendie. Dans le même document l'église – et l'on ne s'occupe que d'elle – est donnée par le duc à l'abbaye Saint-Vincent au Vulturne.

Comme Vincenzo Ferrara l'a remarqué, si la monastère avait existé lui aussi à cette époque, il aurait certainement été compris dans la donation et mentionné : la construction du monastère doit donc être attribuée au siècle suivant (VIIIe siècle).

Le même auteur n'exclut pas qu'on puisse reconnaître un vestige de l'église du VIIe siècle dans les fondements circulaires placés en guise de socle à l'extérieur de l'abside centrale et qui ont suggéré l'hypothèse d'un temple païen préexistant de plan circulaire.

Par ailleurs, sur le fait que la localité ait été habitée à l'époque romaine, il ne semble pas que subsistent des doutes, car il est attesté par la découverte d'un pavement en mosaïque de villa romaine (IIIe-IVe siècles) et par les nombreux fragments classiques réutilisés dans l'édifice.

Passée sous la dépendance du Mont-Cassin au témoignage d'un document papal de 944, l'abbaye des bords du Trigno est plusieurs fois mentionnée par des diplômes impériaux et des bulles papales qui en confirment l'importance croissante.

En particulier la bulle d'Alexandre III de 1179 marque le sommet de cette ascension en élevant ce centre bénédictin à la dignité d'« abbaye nullius » (sub nullius jurisdictione, c'est-à-dire indépendante de tout diocèse), titre conservé jusqu'en 1309.

En ce qui concerne l'époque de la reconstruction de l'église dans sa forme actuelle, l'opinion des archéologues est divisée entre l'attribution faite par Bertaux, qui la place au XIIIe siècle, et celle de Matthiae qui estime devoir la situer un siècle plus tôt.

Il est en tout cas certain que la basilique Sainte-Marie de Canneto est l'un des exemples les mieux conservés de l'art roman dans la Molise, même si elle n'est pas exempte de quelque intervention plus tardive et d'indispensables restaurations, récemment encore, à l'occasion desquelles on a supprimé la fausse tribune des chantres et le porche en façade.

Visite. L'église, dont le type se rattache à San Liberatore a la Maiella, est entièrement construite en blocs de pierre très claire, le plus souvent demeurée brute, selon un parti de grande simplicité qui, conjointement au charme de la nature environnante, fait de l'édifice une expression extrêmement parlante du monachisme bénédictin.

Le plan basilical, à trois absides, est divisé en trois nefs par dix supports (colonnes et piliers). Au flanc droit du corps basilical se greffe le puissant clocher, de base carrée.

La façade principale, sous un toit à deux versants, est percée en son milieu par un portail dont l'archivolte abrite un tympan sculpté. Le relief est faible et le dessin gauche : l'Agneau crucifère fait face à un autre animal ailé (probablement un lion), tandis que du fond lisse du tympan émergent, comme des larves, de mystérieuses faces d'hommes et de bêtes ; l'archivolte est décorée de rinceaux chargés de grappes, et les chapiteaux des piédroits sont ornés de feuilles raides détachées les unes des autres.

A la base du tympan se déroule une inscription en partie effacée : (ABBATE RAYNALDO FACIET...). Autrement nous aurions pu en tirer une indication précise pour la datation du monument.

Une seconde entrée dotée d'une archivolte et formée de fragments anciens s'ouvre dans le flanc gauche de l'église, tandis que du côté opposé s'adosse le clocher qui présente un étage supplémentaire tardif avec une fenêtre triple et une crénelure : d'intéressantes plaques commémoratives romaines et des lions médiévaux à mi-corps sont encastrés dans le mur de la partie inférieure du clocher qui est d'origine.

Au chevet, sur le mur à rampants interrompus se greffent trois absides semi-circulaires : les deux latérales, de petites dimensions, percées d'une fenêtre en leur milieu, et la centrale, nettement plus grande, formée d'une maçonnerie non homogène en pierre où la fenêtre primitive a été murée.

A la base du robuste demi-cylindre sont visibles les moulures circulaires attribuées par certains archéologues à un temple païen antérieur.

L'intérieur de la basilique, rendu lumineux par la couleur claire de la pierre, est réparti en trois nefs par des arcs en plein cintre et des colonnes, remplacées pour les quatre premiers arcs de gauche par des piliers rectangulaires en blocs de pierre.

Les murs des nefs latérales et de la nef centrale au-dessus des arcs sont rendus irréguliers par un parement de pierres demeurées brutes ; seul est crépi l'intérieur de l'abside majeure où se trouve une statue en bois peint du XVe siècle représentant la Vierge à l'Enfant. Unique élément coloré de tout l'édifice, le groupe en bois se propose discrètement comme point de convergence visuel et comme foyer idéal de l'espace religieux.

Les constructeurs semblent éviter volontairement la moindre complication technique ou décorative, préférant la simple couverture à charpente apparente et se livrant à leur goût pour la forme réduite à l'essentiel, qui laisse à la lumière, provenant des fenêtres (percées dans les nefs latérales comme dans la nef centrale) et réfléchie par la pierre blanche, le soin d'animer les surfaces dont elle met en valeur le grain.

Le même modelé schématique observé au portail majeur se retrouve sur les chapiteaux des colonnes de droite : la corbeille de faible hauteur est entourée de feuilles raides et de

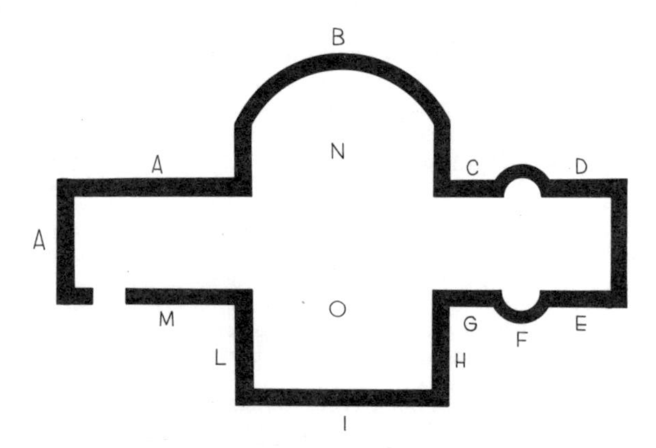

ROCCHETA
AL VOLTURNO

caulicoles rabougris qui montrent combien lointaine est alors la référence au modèle corinthien.

Le pavement est constitué de dalles de la même pierre et, dans la nef centrale, est plus bas d'une marche que dans les nefs latérales. Une autre marche engendre la différence de niveau entre la première et la deuxième moitié du corps basilical, tandis que la partie du sanctuaire correspondant à la nef centrale est encore surélevé d'un degré comme par un piédestal.

Il convient de porter attention à l'autel majeur, décoré d'un bas-relief représentant la Dernière Cène. Les figures élémentaires des apôtres, alignés de façon raide et aplatis contre le fond comme dans l'art lombard, suggèrent une date fort précoce.

La chaire. Dans la nef centrale (entre le deuxième et le troisième pilier de gauche) est disposée une curieuse chaire en pierre, formée d'un caisson rectangulaire très allongé porté par trois arcs de différents diamètres et quatre colonnes aux chapiteaux décorés de motifs végétaux et symboliques. Les bordures et les arcs sont dotés d'un décor de palmettes, tandis que des plaques avec des fleurs et des figures symboliques s'insèrent de façon variée dans cette structure insolite.

Le long du devant de la chaire se déploie en haut relief un décor d'arcades à l'intérieur desquels se trouvent six moines en diverses attitudes.

Selon l'interprétation généralement acceptée, parmi les trois moines de gauche on peut reconnaître : un diacre (avec le missel), l'abbé (revêtu des vêtements liturgiques), le sous-diacre (avec l'encensoir); tandis que les trois moines de droite semblent représenter : le travail (moine de profil avec des instruments de métiers), la prière (moine avec le capuce et les mains jointes), la bénédiction (abbé avec les vêtements liturgiques en train de bénir). Les trois figures de gauche seraient donc là pour symboliser la vie liturgique, et celles de droite la vie monastique selon la devise bénédictine «ora et labora».

L'arc de droite de la chaire porte une inscription fort claire qui donne la date de l'œuvre : ANNO DOMINI MILLESIMO DUCENTESIMO VIGESIMO TERTIO (1223).

Vincenzo Ferrara a émis quelques doutes sur le caractère originel de l'inscription, supposant qu'il s'agirait de l'imitation d'une inscription antérieure, visible en partie sur une pierre du garde-corps de la chaire. La nouvelle gravure a peut-être été exécutée au moment du transfert de l'œuvre, que nous rapporte Gallupi : «Jusqu'à l'année 1931 la chaire de Canneto se dressait imposante dans le sanctuaire, contre la première arcade de la nef latérale de gauche à côté de l'autel majeur; mais au cours des années 1931 et 1932 la chaire fut démontée et remontée en l'adossant à l'arcade qui s'ouvre vers le milieu de la nef centrale du côté gauche».

Ferrara a en outre expliqué le manque d'harmonie de la composition de la chaire en la considérant comme «une tentative postiche d'utilisation d'un matériel sculpté qui devait à l'origine avoir été prévu et préparé non pour une chaire ou un ambon mais plutôt pour une de ces clôtures de chœur ou balustrade qui, comme on l'a vu, étaient aussi une spécialité des écoles abruzzaines de l'époque».

4

ROCCHETTA AL VOLTURNO. ABBAYE DE SAN VINCENZO AL *Volturno. Histoire : ayant au cours de son développement entretenu des rapports étroits avec l'abbaye du Mont-Cassin assez proche d'elle, l'abbaye Saint-Vincent compta par son étendue et son importance parmi les plus grands monastères bénédictins du IXe siècle, mais des secousses sismiques et des attaques sarrasines en provoquèrent la décadence précoce dès le Xe siècle.*

De l'ensemble monumental qui selon la « Chronicon vulturnense » comprenait jusqu'à huit églises, demeurent actuellement :

– l'église principale, reconstruite au XIe siècle sur la rive Est du Vulturne, restaurée à diverses époques

et complètement refaite « dans le style » pour la partie antérieure ;

– une série d'arcades isolées sur le terrain situé devant la basilique, qui se rattachent à un porche du XIII*e siècle détruit depuis ;*

– le monastère en grande partie reconstruit avec quelque élément du XV*e siècle ;*

– la crypte dite de Saint-Laurent, à l'Ouest du fleuve, avec de précieuses fresques du IX*e siècle.*

Sur l'origine de l'abbaye nous sommes renseignés par un écrit ancien de l'abbé Aupert, rapporté par le « Chronicon Vulturnense », grâce auquel nous savons que la fondation du monastère se fit au VIII*e siècle par les soins de trois princes lombards du duché de Bénévent (Tatus, Tasus et Paldus) désireux de mener la vie monastique.*

Mais ce sont surtout les dernières fouilles (1980-1982) organisées par l'université de Sheffield et mises en œuvre par la Surintendance archéologique chargée du patrimoine artistique et historique de la Molise qui ont fourni de nouvelles données sur la genèse et sur l'aspect des bâtiments monastiques aux sources du Vulturne.

Grâce aux éléments matériels qui sont venus au jour, on peut affirmer que le monastère du haut Moyen Age était à l'origine sur la rive Ouest du Vulturne et fut construit sur les restes d'un centre agricole de l'époque romaine tardive.

A cette époque remonte probablement la crypte Saint-Laurent, qui faisait partie d'un petit ensemble formé de l'église au dessus de la crypte elle-même, d'une basilique funéraire accolée au côté Sud et d'une tour.

Ce fut en ce lieu alors en décadence qu'arrivèrent au début du VIII*e siècle les trois moines Paldus, Tatus et Tasus.*

Sous l'abbé Épiphane (824-842) la crypte fut couverte de fresques et l'église au-dessus fut probablement remise en état.

En ce qui concerne l'église funéraire, les fouilles ont repéré une deuxième campagne de construction au cours des VIII*e et* IX*e siècles, et une troisième, à peine plus tardive, qui vit la surélévation de la zone absidale et la création de locaux de service (magasins et écuries) sous la nef. Un couloir souterrain conduisait de là à une antichambre avec enduit peint et aussi à une salle de 14 m, pourvue de banquettes également peintes, que l'on peut dater du* IX*e siècle d'après la fresque sur la plinthe dotée d'un motif ornemental déjà observé dans la crypte Saint-Laurent.*

Une centaine de mètres plus au Sud, la recherche archéologique a mis au jour les restes d'une église qui par le caractère monumental de ses dimensions et sa position élevée pourrait être l'ancienne abbaye Saint-Vincent.

Richard Hodges *(université de Sheffield) a émis une hypothèse sur le plan de ce grand monastère du* IX*e siècle : « En premier lieu nous devons prendre en considération la forge et les écuries sous l'église méridionale (église funéraire) œuvre de la troisième campagne. Dans les monastères médiévaux, de tels locaux sont traditionnellement proches de l'entrée. Si c'est le cas ici, nous pourrions avancer l'hypothèse que le grand édifice de la troisième campagne situé au-dessus de ces locaux n'ait pas été une église mais une salle pour les hôtes... On pourrait alors concevoir l'église de la crypte comme une chapelle pour les hôtes, le local en longueur avec les sièges brillamment décorés comme un vestibule. Imaginons que les visiteurs avaient traversé un pont voisin de l'actuel et étaient entrés dans une cour précisément au Sud de l'église méridionale (ex-funéraire), avaient attendu là avant d'être logés à proximité de l'entrée (comme c'était la tradition dans les monastères médiévaux) ou avant d'être conduits le long d'un corridor à l'église principale Saint-Vincent ».*

Visite. *L'église Saint-Vincent a été entièrement reconstruite dans les années 50 de ce siècle. Seul le sanctuaire du* XIV*e siècle, à trois absides, a été restauré et conserve quelques fragments de l'époque romane.*

La Crypte Saint-Laurent *présente par contre un grand intérêt pour notre étude, en raison surtout des fresques du* IX*e siècle qui en revêtent entièrement l'intérieur.*

Cette crypte a un plan cruciforme avec de longs bras et une abside.

L'accès à la crypte, au-dessus de laquelle se trouve une chapelle triconque du haut Moyen Age partiellement en ruine, se fait par un petit escalier qui mène au bras gauche du transept. Les murs et les voûtes sont peints de représentations dont le thème est variable : scènes de martyre, tableaux élégiaques, images solennelles.

Le récit commence sur le mur en face de l'entrée,

ROCCAVIVARA

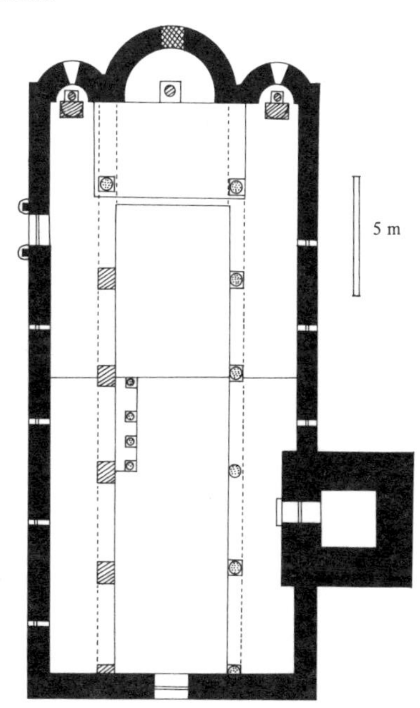

avec une procession de saintes (A) qui tiennent chacune dans leurs mains une croix et une couronne précieuse. Dans l'arrondi de l'abside, une suite d'anges aux grandes ailes bigarrées continue le cortège royal (B).

De ce prélude serein on passe, au bras droit du transept, à la représentation violente du martyre de saint Laurent (C) et de saint Étienne (D), caractérisée par un mouvement très marqué, comme si un vent impétueux traversait la scène.

Sur le mur opposé, au sacrifice des deux martyrs servaient de contrepoint deux représentations de la Passion du Christ : le tombeau (E) et la Crucifixion, où apparaissent le commanditaire l'abbé Épiphane et une femme en pleurs avec une couronne dotée de petites tours qui symbolise la ville de Jérusalem (G).

Plus bas, au centre du mur est creusée une niche à l'intérieur de laquelle sont peints saint Laurent et saint Étienne à côté du Christ bénissant (F).

La zone du pied de la croix est consacrée à la Nativité de Jésus : sur le mur en face de l'abside, se trouve l'Annonciation (I), l'une des scènes les plus fortes du fait du geste expressif de la Vierge qui recule et la délicate légèreté de l'ange annonciateur; sur les murs latéraux figurent les scènes de la crèche (H) et la représentation insolite de l'Enfant lavé par deux femmes (L).

Pour conclure le récit se trouve, sur le mur adjacent à l'entrée, une Vierge en majesté avec l'Enfant qui reçoit les hommages d'un moine agenouillé (selon Bertaux, il s'agit du portrait du moine peintre) (M). Le cycle tout entier est enfin conclu par le Christ (O) et la Vierge en majesté, peints à la fresque sur les voûtes en berceau de la crypte (N).

Bertaux a mis en relief les liens qui existent entre les fresques de la crypte du Vulturne et l'art byzantin (pensons seulement à la procession des saintes, semblable à celle de la mosaïque de Saint-Apollinaire-le-Neuf à Ravenne), avec une accentuation des caractères propres au classicisme dont on perçoit le souvenir encore frais.

On le trouve dans le type des visages ovales, la présence d'éléments de l'art païen (personnification de la ville, thème du bain du nouveau-né), la technique du coloris sur fond sombre avec des lumières de ton clair, qui rappelle les fresques de Pompéi.

Ada Trombetta a insisté principalement sur les rapports avec la miniature carolingienne, incontestablement présents surtout dans les scènes les plus dramatiques.

Ce qui nous paraît le plus intéressant à souligner est cependant le fait que le premier art bénédictin se révèle, dans cette crypte Saint-Laurent, fort évolué et encore profondément enraciné dans le sol de la tradition classique.

TABLE DES PLANCHES

98

99

100

101

103

105

107

108

109

TERMOLI

III

112

113

114

INNOIE XPI · A · ANNODNI · M · C · C · XXX · VIIII ·
+ HIC REQVIESCIT CORP BEATI TIMOTHEI DISCIPV
LI PAVLI APLI : RECODITV A VENERABILI STEPHANO EPO
TEMVLANO VNA CV CAPITVLO

115

116

PETRELLA TIFERNINA

118

120

121

123

124

126

127

129

130

131

132

133

134

TERMOLI

TERMOLI. LA CATHÉDRALE

Histoire

Les documents historiques concernant cet édifice sont plutôt rares : selon la tradition la basilique fut fondée au milieu du VIe siècle sur les restes d'un temple antique.

Comme le rapporte S. Motta, la cathédrale fut ensuite dédiée à saint Bassus probablement vers l'an mil, après l'enlèvement, près de Nice, des restes du saint par le soin des habitants de Termoli (alors comté du duché de Bénévent), à l'occasion des luttes entre les Lombards et les Francs.

C'est précisément à cette époque que semblent remonter les restes de l'église antérieure retrouvée sous l'édifice actuel au cours d'une restauration dans les années 30.

Quant à la datation de ce dernier édifice, les avis des archéologues diffèrent : nous pensons pouvoir accepter l'époque proposée par Matthiae, Bertaux et Mme Trombetta qui, sur la base d'influences manifestes des Pouilles et d'au-delà des Alpes, placent la reconstruction de la basilique entre le XIIe et le XIIIe siècle.

Il ne faut pas non plus oublier que l'église fut plusieurs fois restaurée au cours des siècles, à cause des guerres et des tremblements de terre. Rappelons en particulier : la remise en état de 1456 à la suite des dégâts d'une secousse sismique; l'intervention du XVIIIe siècle qui a malheureusement détruit une partie du décor sculpté; la restauration récente qui a rendu à la pierre de l'édifice un très bel éclat.

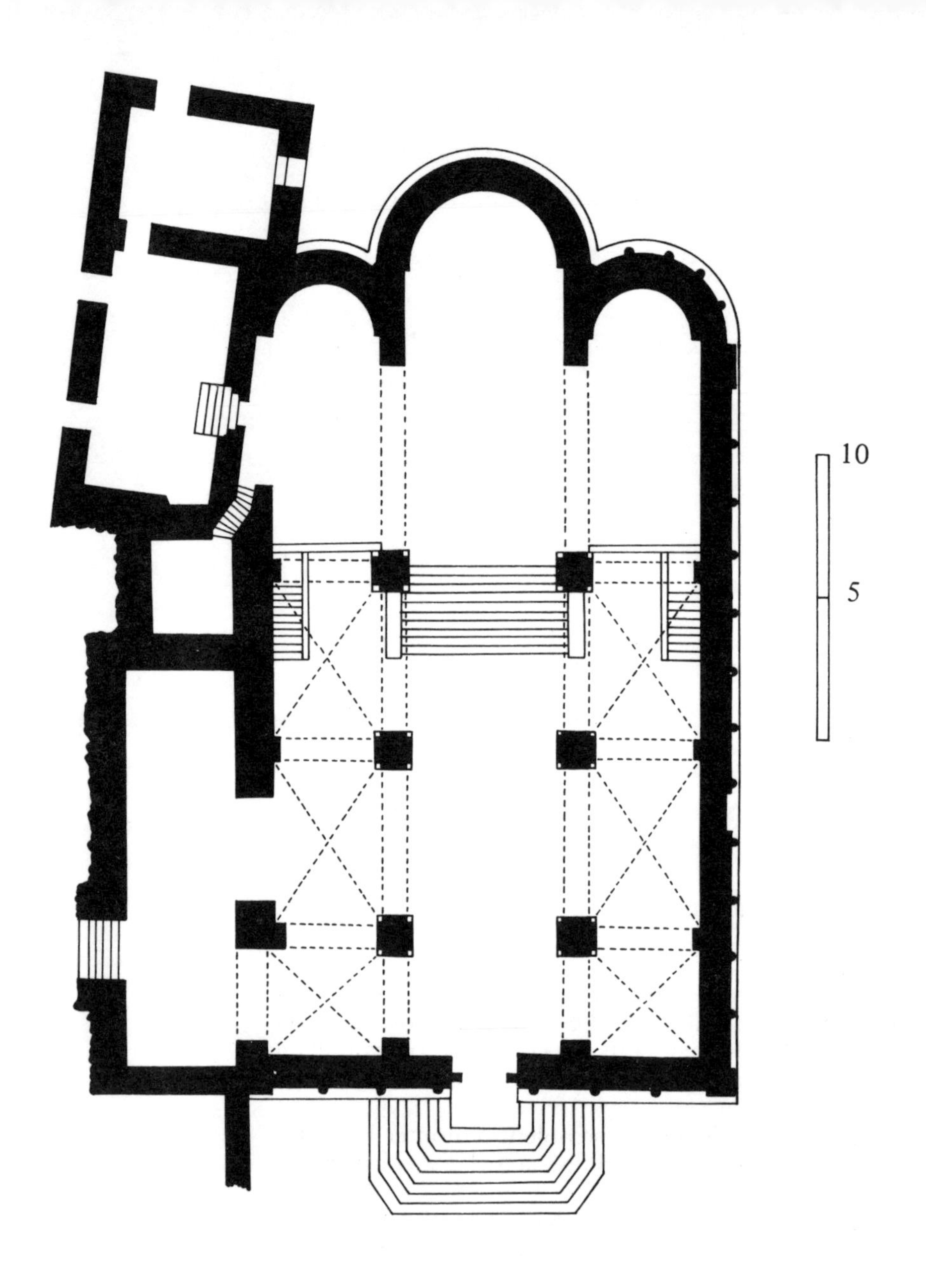

TERMOLI
cathédrale

Visite

La cathédrale a un aspect imposant, accentué par le contraste avec la minuscule agglomération urbaine qui l'entoure. Les liens avec l'architecture des Pouilles sont manifestes à l'extérieur dans le motif des arcs aveugles sur lésènes, provenant de la cathédrale de Troia et appliqué sur une construction selon le modèle des Marches et des Abruzzes.

Le plan de l'édifice est basilical à trois nefs séparées par des piliers, avec trois absides dont la centrale est très profonde.

La construction, montée sur une très haute plinthe, est faite de blocs de pierre blanche friable, remplacée à l'endroit du portail central par du marbre corallien du Gargan.

L'unité organique de l'édifice se manifeste par les profonds arcs surhaussés qui se déploient à partir du registre inférieur de la façade à rampants interrompus, avec des voussures multiples sur des lésènes aux chapiteaux classicisants (pl. 110).

L'effet de relief et de contraste entre ombre et lumière produit par les arcs est renforcé par la série de fenêtres doubles aveugles diversement décorées qui se trouvent à l'intérieur des arcades, et par le portail central richement sculpté.

L'entrée, à ressauts, aux piédroits et au tympan de marbre rose, est raccordée à la rue par un perron polygonal.

Les corniches et les chapiteaux présentent des végétaux fantaisistes de type classique tandis qu'au tympan figure une Présentation au temple très abîmée (pl. 109).

Au bas du tympan on pouvait jadis lire le nom du maître qui a exécuté cette œuvre : Alfanus de Termoli.

Au départ de l'archivolte sont placées deux statues en ronde-bosse d'influence bourguignonne (celle de droite mutilée) représentant saint Bassus et saint Sébastien : au pied des saints deux personnages écrasés symbolisent la défaite de l'hérésie. Les statues sont posées sur des consoles avec des inscriptions en partie effacées (probablement des dédicaces de la part des donateurs) qui couronnaient deux faisceaux de trois colonnes, aujourd'hui disparus, dont les bases sont encore visibles.

Dans la première fenêtre double de gauche sont sculptés deux autres personnages, la Vierge et un ange, qui constituent une petite Annonciation isolée (pl. 111).

La partie supérieure de la façade, délimitée par une corniche horizontale et percée en son milieu d'une grande fenêtre circulaire, est de l'avis de Mme Trombetta l'œuvre de la reconstruction de 1456 «en raison des arabesques et de la stylisation du décor de la corniche de séparation, tous traits typiques de l'art aragonais qui domina l'architecture de l'Italie méridionale au XVe siècle et qui est également présent dans le type de construction du clocher, greffé au flanc gauche de l'église et presque entièrement caché par l'évêché et d'autres constructions».

En effet seul est visible le flanc droit de l'édifice où se continue la scansion des arcades, douze en tout. De ce côté, sous la cinquième arcade, se trouve un second portail, muré et inaccessible faute d'escalier.

La structure interne de la basilique constitue un espace vaste et solennel aux accents bourguignons qui rappellent l'exemple de Saint-Jean in Venere dans les Abruzzes.

Les trois nefs sont séparées par trois paires de piliers cruciformes sur bases carrées, marqués aux angles d'un double retrait et terminés par une imposte lisse (pl. 113).

Les arcs qui les relient sont en plein cintre, à l'exception du premier, plus étroit, qui est brisé.

Les formes architecturales élancées présentent un dessin rigoureux et une sobre élégance qui semblent provenir des principes de construction cisterciens, marqués d'une absolue austérité.

Nous ne connaissons pas la solution originelle de couvrement, constitué aujourd'hui de voûtes gothiques dans les seules nefs latérales, mais nous pouvons supposer que le projet initial avait prévu une couverture de voûtes à nervures, comme le suggère le choix de piliers cruciformes.

Cette solution une fois abandonnée (pour des difficultés techniques?) les supports de la nef centrale furent prolongés jusqu'au toit, prenant alors une fonction purement ornementale.

Le sanctuaire est très surélevé, et raccordé à la nef par un escalier de onze marches. Deux petits escaliers latéraux mènent à la crypte sous le sanctuaire, d'où l'on peut accéder à ce qui reste de l'église antérieure (à l'origine basilicale à trois nefs), dotée de mosaïques de pavement des XIe-XIIe siècles, aux dessins polychromes (pl. 114).

DIMENSIONS DE TERMOLI

Largeur : 18 m.
Longueur : 34 m.

PETRELLA TIFERNINA

PETRELLA TIFERNINA. SAN GIORGIO

Histoire

L'église Saint-Georges s'élève au cœur de la cité médiévale de Petrella Tifernina, sur une hauteur dominant la vallée du Biferno.

Il nous reste peu de témoins pour nous renseigner sur les événements concernant la construction et l'histoire de cet édifice. En 1624 en effet un violent incendie détruisit complètement les archives paroissiales.

En se basant sur un examen stylistique, on peut fixer la date de l'église entre le XIIe et le XIIIe siècle, comme le confirme d'ailleurs l'inscription au tympan du portail d'entrée (AD O.REM DEI ET BEATI GEORGI MARTIRIS EGO... AGISTE EPIDIDI... SC FECI ADO... MDECIMO.) qui en plus de nous indiquer le maître, auteur de l'œuvre, un certain Epididius, fournit la date de la consécration, ainsi interprétée par Carandente : A(nno) DO(mini millesimo duecentesimo u)MDECIMO, c'est-à-dire 1211.

Un autre document relatif à l'édifice est conservé dans la Bibliothèque Apostolique Vaticane : il consiste en une copie notariale datée du 20 août 1241 où Saint-Georges de Petrella est mentionnée parmi les églises du diocèse de Boiano.

A l'époque baroque (1712-1731), la basilique subit de profondes transformations : réfection du pavement, surélévation du toit, couverture par des voûtes en berceau, application de crépis et de stucs à l'intérieur.

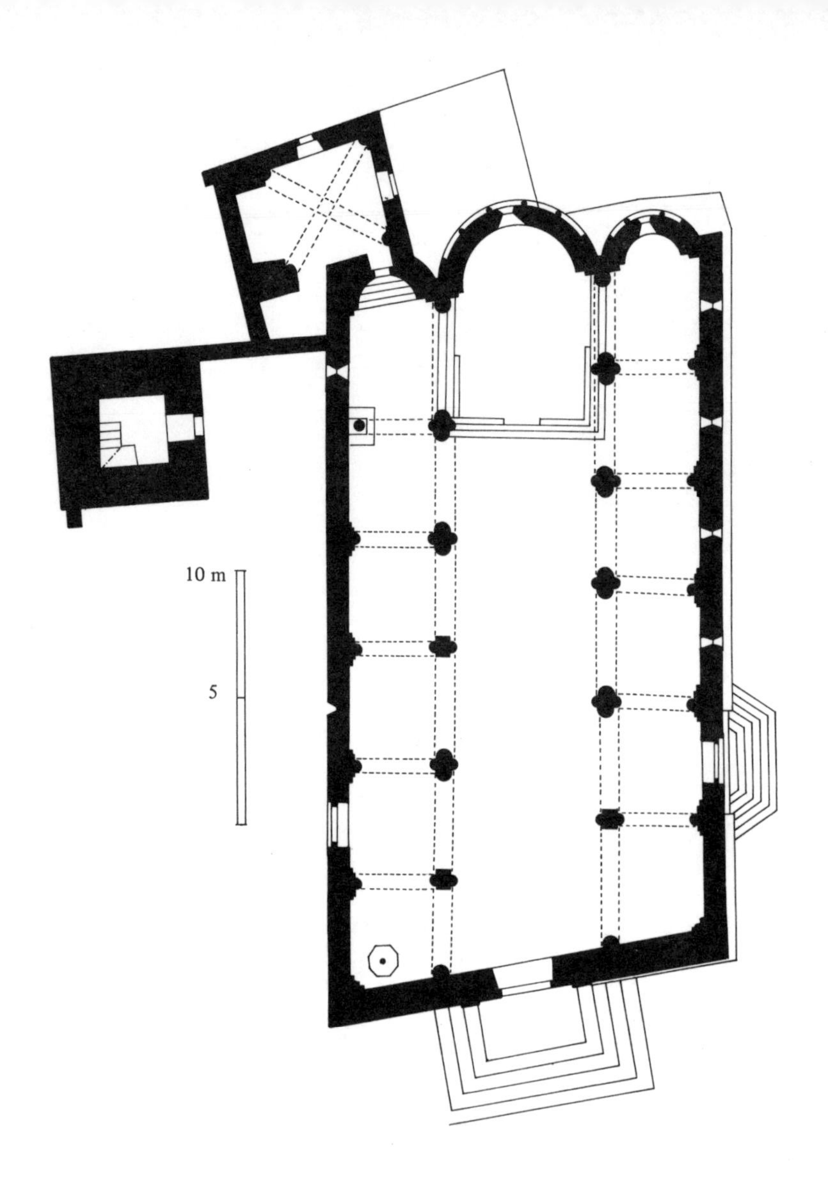

PETRELLA TIFERNINA
SAN GIORGIO

Une série de restaurations récentes (1903, 1933, 1947, 1954, 1958, 1959) ont rendu à l'église son caractère roman, débarrassé des adjonctions, même si les choix des restaurateurs se sont révélés fort discutables (par exemple le petit escalier antérieur en pierres assemblées et la reconstruction du campanile).

Quant à la crypte (qui ne coïncide pas avec le sanctuaire mais s'étend au-delà du chevet), Carano en a noté les analogies avec les églises-cryptes des Pouilles, enterrées en partie seulement. Selon son hypothèse, la chapelle fut complètement enterrée à l'occasion de la construction de la basilique supérieure, due à de nouveaux besoins liturgiques. Confirmant l'analyse de Calvani, Carano estime que la crypte peut être datée des environs du IXe siècle.

Au-dessus de la crypte se trouve un local avec voûte d'arêtes à nervures, dit «sacristie». A ce sujet M.R. Napoleone et P. Pontico ont affirmé que «la maçonnerie de ses murs gouttereaux pourrait être contemporaine de l'église, ou même plus ancienne. Deux éléments viennent renforcer cette thèse : la porte intérieure de l'abside de gauche (qui autrement n'aurait pas de raison d'être) et l'ouverture cintrée du côté Ouest, aujourd'hui murée et couverte de crépi, qui était peut-être un accès à ce local. Mais la couverture en voûtes d'arêtes à nervures diagonales nous incite à soutenir que la sacristie n'a pas été construite avant le XIIIe siècle, car l'usage de nervures en diagonale à section carrée n'a été introduite en Italie que sous la domination normande et souabe. Toutefois seule une analyse plus attentive des maçonneries internes non apparentes pourrait avaliser cette hypothèse».

Visite

L'église, de pierre ferrugineuse et robuste, s'insère dans le bourg médiéval serré de Petrella, nom qui évoque les rochers isolés épars aux alentours.

La structure en plan de l'édifice, basilical à trois nefs terminées par autant d'absides, est comparable à un parallélogramme; les axes perpendiculaires à la façade et au chevet sont en effet obliques par rapport à l'axe des nefs : signe d'une adaptation à la disposition des bâtiments voisins.

Une autre particularité de cette construction est l'asymétrie des douze supports qui reçoivent les arcs en plein cintre.

A l'abside de gauche (et en communication avec celle-ci par un petit escalier) s'adosse la petite construction voûtée en croisée d'ogives (sacristie) sous laquelle se trouve la chapelle, qui n'est d'ailleurs accessible que de l'extérieur.

Le campanile, de base carrée, est nettement détaché du flanc gauche du corps basilical auquel il est relié par un couloir.

L'élévation de l'église est constituée de blocs de pierre grise (parmi lesquels se trouve quelque fragment antique) et elle est renforcée dans le bas à l'extérieur par une haute plinthe.

Le caractère un peu aplati de la façade à rampants interrompus (pl. 117) met en valeur le dessin du très beau portail à faux avant-corps, précédé de cinq marches entre les larges ailes trapues des nefs latérales.

Le décor dû au maître Epididius déjà mentionné et à ses artisans alterne avec liberté des motifs végétaux, animaux et géométriques de diverses origines, exécutés en taille d'épargne de type archaïque mais avec une particulière fraîcheur d'expression. Au délicat jeu de fleurs dans des rinceaux qui se déploie sur le linteau succède sur la première voussure un entrelacs serré de tiges, suivi d'une simple moulure sur laquelle se trouve une rangée de feuilles raides en fer de lance, tandis que la dernière voussure présente des éléments du bestiaire médiéval (le monstre marin qui engloutit Jonas, des paons et des chevaux) au milieu d'une fantaisie de grappes, de fleurs, de cercles. Au tympan revient l'épisode de Jonas englouti et rejeté par la baleine (ressemblant curieusement à un chien) qui se trouve mêlé sans aucun lien avec les motifs du serpent et de l'Agneau crucifère (pl. 116).

L'angle du fronton au-dessus du portail est repris par les rampants de la nef centrale, parcourus d'une bordure à arceaux dotée de masques apotropaïques et d'éléments sphériques.

Les ornements floraux et géométriques déjà observés se retrouvent le long des bordures extérieures de la fenêtre ouverte sous le sommet des rampants du toit et sur les autres fenêtres aux flancs et au chevet de l'église (pl. 120 à 124).

Les deux portails secondaires dans les flancs lisses de l'édifice reprennent le motif de rinceaux avec fleurs et grappes, et montrent la même prédilection pour les représentations symboliques d'animaux figurant librement sur les tympans (pl. 118 et 119).

Au chevet sont reconnaissables les parties dues à la restauration; les deux absides visibles sont décorées de fines demi-colonnes et d'arceaux.

Le campanile, reconstruit (1947) et consolidé (1958) est constitué d'une souche carrée surmontée d'un corps polygonal et d'une flèche.

L'inspiration créatrice des décorateurs se fait impétueuse à l'intérieur de l'église qui surprend par l'importance des supports, sur hautes bases sculptées de moulures profondes (pl. 125 et 128). Les piliers sont pour la plupart polylobés, c'est-à-dire formés chacun de la fusion de quatre colonnes; font exception les premiers piliers face à l'entrée et le troisième support de gauche, de section carrée avec demi-colonnes adossées.

Les nefs latérales sont dotées d'arcs transversaux qui retombent sur des colonnes circulaires ou polygonales engagées dans le mur.

La couverture de la basilique est en charpente apparente mais la présence des puissants piliers quadrilobés fait penser à un projet initial avec couverture voûtée, non réalisé «parce que cela aurait entraîné de véritables irrégularités techniques et stylistiques» (M.R. Napoleone, P. Pontico). La première et la dernière voûte auraient en effet présenté une base trapézoïdale et donc un départ plus large d'un côté que de l'autre.

LES CHAPITEAUX

Les chapiteaux des supports offrent, liées aux éléments architecturaux, des formes de la vie animale et végétale. La pierre devient une matière ductile, comme animée par une métamorphose interne, et devient oiseau rapace, couronne de feuilles, masque narquois, sirène à deux queues (pl. 127).

Des êtres grotesques entre l'homme et le singe s'agrippent à de fins caulicoles (pl. 126), des têtes de taureau et de bélier apparaissent au milieu de fleurs fantastiques, des lions aux corps stylisés s'affrontent à la surface de la corbeille (pl. 130) : des images de rêve (pl. 129) et d'angoisse (pl. 131) dans un monde spirituel en fermentation se dédoublent, s'enlacent, se transforment.

L'extrême variété dans l'interprétation d'un même thème décoratif suggère la présence de nombreux artisans. Les piliers qui séparent les nefs présentent des chapiteaux sur trois côtés seulement : la demi-colonne tournée vers la nef s'arrête en effet au fût.

Dans l'ensemble on peut distinguer un certain nombre de types :

– le type à corbeille basse revêtue de feuilles alignées dépourvues de dentelure;

– le type corinthien réinterprété de façon originale;

– le type à coussinet avec des faces semi-circulaires sculptés de motifs zoomorphes et floraux;

– le type à simple corbeille au relief plutôt plat;

– le type au fort relief avec figures d'animaux et de monstres.

Parmi le mobilier un intérêt particulier s'attache aux *fonts baptismaux* de la même époque, placés à gauche de l'entrée principale, formés d'un seul bloc de pierre sur lequel sont sculptés les habituels rinceaux.

LA CRYPTE

Dégagée en 1961 de la terre qui l'occupait, la crypte est à peine plus basse que l'église supérieure (son pavement est placé à environ 1 m de profondeur par rapport à la chaussée). Construite en pierre et chaux, elle présente un plan rectangulaire réparti en six travées couvertes de voûtes d'arêtes, que supportent des pilastres le long des murs et deux piliers carrés au centre (pl. 136).

DIMENSIONS DE PETRELLA TIFERNINA

Longueur : 32 m 40.
Largeur hors tout en façade : 16 m 40.

INVENTAIRE

INVENTAIRE DES ÉDIFICES ROMANS DANS LA MOLISE

BAGNOLI DEL TRIGNO

Saint-Sylvestre

Édifice roman tardif situé à un emplacement pittoresque au milieu de grandes masses de rochers. Intéressant portail à double ressaut, aux piédroits et au tympan décorés de moulures à baguette et à torsade (XIIIe siècle?).

CAMPOBASSO

Saint-Barthélemy

Édifice mentionné dans les documents à partir du XIVe siècle. Sont de style roman : la partie centrale de la façade en pierre blanche, avec portail surmonté d'un tympan sculpté et avant-corps; la base du clocher; l'abside au chevet.

Saint-Georges

Église romane du XIIe siècle, divisée en trois nefs. Le parement de pierre grise qui revêt l'élévation est remplacé, dans la zone médiane et supérieure de la façade, par un parement en moellons. Portail intéressant, flanqué de deux paires de lésènes et surmonté d'un tympan sculpté reprenant le décor de fleurs autour de l'Agneau crucifère.

Saint-Léonard

Construction du XIIIe siècle, remaniée au siècle suivant et restaurée après un tremblement de terre. Sur la façade en pierre demeure, à côté du portail gothique, une fenêtre romane (XIIIe siècle) avec décor de rinceaux.

Saint-Mercure

Église romane tombée en ruine. Le portail de type bénédictin avec archivolte et piédroits lisses suggère de la dater du XIIe siècle.

CAMPOMARINO

Sainte-Marie de la Mer

Église d'origine ancienne; a gardé le chevet et la crypte de l'époque romane (XIIe-XIIIe siècles).

CASALCIPRANO

Santissima Annunziata, Sainte-Marie de l'Annonciation

Petit édifice religieux à environ 3 km du village. Le portail présente certains éléments décoratifs romans (piédroits avec demi-colonnes et feuilles plates).

Sainte-Marie du Jardin

Portail de style roman (XIIIe siècle?) en plein cintre entouré d'une moulure en torsade. Il a une structure semblable à celle du précédent.

CASTELPETROSO

Saint-Martin

Portail roman ébrasé, avec une tête d'ange au départ de l'archivolte la plus extérieure. En raison des analogies avec le portail de Saint-François à Isernia, on peut l'attribuer au XIIIe siècle.

CASTROPIGNANO

Saint-Sauveur

Portail roman semblable à celui déjà vu à Sainte-Marie du Jardin à Casalciprano. A l'intérieur, deux bénitiers de la même époque (XIIIe-XIVe siècles).

FERRAZZANO

Église paroissiale Sainte-Marie de l'Assomption

Le portail de type bénédictin est un souvenir de la première construction romane. Le tympan conserve en partie le relief sculpté en taille d'épargne. A l'intérieur il y a une précieuse chaire du XIIIe siècle qui reprend le modèle roman à caisson carré sur colonnes et arcs trilobés : à noter les chapiteaux aux formes végétales jaillissantes, au milieu desquelles trouvent place des figures humaines et animales.

GUARDIALFERA

Sainte-Marie de l'Assomption

D'origine très ancienne, comme l'attestent de nombreux fragments de l'art lombard encastrés dans les murs de l'édifice. En grande partie reconstruite au XVIIIe siècle, l'église conserve une crypte romane d'un grand intérêt avec des voûtes en pierre apparente.

GUGLIONESI

Sainte-Marie-Majeure

Reconstruite au XVIIIe siècle et dédiée à la Vierge, l'église conserve le chevet et la crypte d'un édifice roman antérieur d'une époque imprécise, dédié à saint Pierre.

Saint-Nicolas

Voir notice brève p. 243.

ISERNIA

Saint-Érasme

Église rupestre à l'état de ruine, probablement fondée à la fin du IXe siècle. Des éléments de caractère roman et gothique en attestent une rénovation aux XIIIe-XIVe siècles. A cette époque semble remonter la décoration à fresque de l'intérieur, dont il reste une Crucifixion.

Saint-François

Portail roman du XIIIe siècle.

Sainte-Marie de l'Assomption (des moniales)

Église romane dévastée par les bombardements de la dernière guerre mondiale et remise en état. Signalons le clocher d'origine et le portail constitué d'éléments de l'âge classique. L'intérieur, à trois nefs séparées par des arcs en plein cintre, présente des colonnes et des chapiteaux de remploi.

LARINO

Cathédrale Sainte-Marie de l'Assomption et Saint-Pardoux

Édifice terminé au XIVe siècle (1319) dans un style essentiellement gothique mais avec quelque élément décoratif encore roman.

LIMOSANO

Sainte-Marie-Majeure

Jusqu'au XIIe siècle elle fut la cathédrale du diocèse de Limosano. De l'époque romane, elle garde le clocher et une partie de la crypte.

MATRICE

HAMEAU DE SANTA MARIA DELLA STRADA

Sainte-Marie de la Route

Voir notice brève p. 245.

MONTAQUILA

HAMEAU DE ROCCARAVINDOLA

Saint-Michel (ruines)

L'édifice fondé aux IXe-Xe siècles et agrandi au XIIIe, est aujourd'hui complètement démoli. Restent les murs gouttereaux en pierre brute et le portail de type bénédictin avec archivolte légèrement brisée. A l'intérieur, intéressantes fresques des XIVe-XVe siècles.

PETACCIATO

Saint-Roch

L'église garde de la construction romane (XIIe-XIIIe siècle) : la crypte, les absides et le clocher au décor d'arceaux.

PETRELLA TIFERNINA

Saint-Georges martyr

Voir la monographie p. 289.

POZZILLI
HAMEAU DE SANTA MARIA OLIVETO
Sainte-Lucie

Église romane d'origine imprécise à l'état de ruine.

Elle présente un plan à nef unique terminée par une abside semi-circulaire. L'entrée de type bénédictin avec piédroits, linteau et archivolte en pierre lisse est surmontée d'une fenêtre très étroite. A l'intérieur, traces de fresques du XIVe siècle.

Présentent une même structure :

Saint-Laurent qui conserve l'abside originelle, fresquée au XIIIe-siècle;

Saint-Sébastien qui conserve une partie des murs gouttereaux, en ruine et adossés à une ferme.

RICCIA
Sainte-Marie de l'Assomption

Portail roman tardif, remployé dans la façade entièrement reconstruite. Au-dessus de lui s'ouvre un oculus décoré de rinceaux à palmettes.

ROCCARAVINDOLA

Voir MONTAQUILA

ROCCAVIVARA
Sainte-Marie de Canneto

Voir notice brève p. 246.

ROCCHETTA A VOLTURNO
HAMEAU DE SAN VINCENZO AL VOLTURNO
Abbaye Saint-Vincent au Vulturne

Voir notice brève p. 248.

AUX ENVIRONS
Sainte-Marie des Grottes

Église romane bénédictine d'origine ancienne (VIIIe siècle) remaniée aux siècles suivants (XIIe-XIIIe-XIVe siècles). En partie adossée à la roche, elle présente un intérieur à deux nefs avec de très intéressantes fresques pariétales des XIIe, XIIIe et XIVe siècles.

SANTA CROCE DI MAGLIANO (environs)
Abbaye Sainte-Marie de Melanico

Des constructions tardives cachent les restes d'un monastère bénédictin ancien : un couronnement à deux versants encastré dans la façade de l'église du XVIIIe siècle et des pans du clocher roman.

SANT'ELIA A PIANISI
Saint-Pierre

Petite église à quelques kilomètres de l'agglomération, fondée à une époque ancienne (XIe siècle). La façade romane à pignon, construite en moellons, est scandée de quatre paires d'arcades aveugles qui suggèrent une date aux XIIIe-XIVe siècles.

SAN GIULIANO DI PUGLIA

Saint-Julien

Portail roman ébrasé datable du XIVe siècle. Surmonté d'un porche bas, il présente un décor géométrique, végétal ou fait d'animaux stylophores.

SANTA MARIA DELLA STRADA

Voir MATRICE.

SANTA MARIA OLIVETO

Voir POZZILLI.

SAN VINCENZO AL VOLTURNO

Voir ROCCHETTA AL VOLTURNO.

TERMOLI

Cathédrale Saint-Bassus

Voir la monographie p. 285.

TRIVENTO

Cathédrale Saints-Nazaire, Celse et Victor

Du haut Moyen Age à l'origine, elle fut plusieurs fois reconstruite au cours des siècles. Elle garde son flanc droit de l'époque romane. La crypte, dédiée à saint Caste, attribuable au XIe siècle, est d'un grand intérêt. Son plan est constitué de sept petites nefs séparées par des colonnes et des piliers et se termine par trois absides semi-circulaires. La couverture est en voûtes d'arêtes portées par des arcs en plein cintre. Sur les murs, vestiges de fresques du XIIIe siècle.

VENAFRO

Cathédrale Sainte-Marie de l'Assomption

Édifice du XVe siècle (1423) sur une église romane antérieure dont il garde : les portails en pierre lisse, de type bénédictin avec autour des archivoltes des sourcils sculptés retombant sur des impostes avec des animaux; les absides latérales, où paraissent des fragments d'époque romaine remployés; un grand arc en plein cintre et les bases des colonnes, à l'intérieur.

Saint-Nicandre

Situé à environ 1 km de l'agglomération, elle présente un portail roman tardif datable de la fin du XIIIe siècle.

VINCHIATURO

Abbaye de Monteverde (ruines)

Abandonnée à l'incurie du temps sur le mont dont elle prend son nom, l'abbaye de Monteverde est un témoin des modes de construction bénédictins à l'époque romane.

INDEX DES NOMS DES ÉDIFICES ÉTUDIÉS DANS CE VOLUME

Abréviations employées : p. *signifie la page ou les pages du texte;* pl. *le numéro des planches hélio;* pl. coul. p. *renvoie à la page où se trouve une planche en quadrichromie;* plan p. *signale celle où figure le plan d'un édifice.*

N.B. Voir en outre les inventaires des Abruzzes (p. 221 à 240) et de la Molise (p. 301 à 305) qui suivent tous deux l'ordre alphabétique et complètent la présente table.

CE VOLUME
SOIXANTE-QUATORZIÈME DE LA
COLLECTION "la nuit des temps"
CONSTITUE
LE NUMÉRO SPÉCIAL DE NOËL POUR
L'ANNÉE DE GRACE 1990 DE LA REVUE
D'ART TRIMESTRIELLE "ZODIAQUE",
CAHIERS DE L'ATELIER DU CŒUR-
MEURTRY, ÉDITÉE A L'ABBAYE SAINTE-
MARIE DE LA PIERRE-QUI-VIRE (YONNE).

LES PHOTOS
TANT EN NOIR QU'EN COULEURS SONT DE ZODIAQUE.

LES CARTES
ET PLANS ONT ÉTÉ DESSINÉS PAR DOM NOËL DENEY A PARTIR DES DOCUMENTS FOURNIS PAR L'AUTEUR.

COMPOSITION
ET IMPRESSION DU TEXTE, SÉLECTION ET IMPRESSION DES PLANCHES COULEURS PAR LES ATELIERS DE LA PIERRE-QUI-VIRE (YONNE). PHOTOCOMPOSITION LASER PAR L'ABBAYE N.-D. DE MELLERAY (C.C.S.O.M., LOIRE-ATLANTIQUE). PLANCHES HÉLIO PAR HAUTES-VOSGES IMPRESSIONS A SAINT-DIÉ.

RELIURE
PAR LA NOUVELLE RELIURE INDUSTRIELLE A AUXERRE. MAQUETTE DE L'ATELIER DU CŒUR-MEURTRY, ATELIER MONASTIQUE DE L'ABBAYE SAINTE-MARIE DE LA PIERRE-QUI-VIRE (YONNE).

ISSN 0768-0937
Directeur-Gérant : José Surchamp
ISBN 2-7369-0182-7
Dépôt légal : 1435-10-90

la nuit des temps

Les arts

16 L'ART CISTERCIEN 1 (3e éd.)
34 L'ART CISTERCIEN 2
4 L'ART GAULOIS (2e éd.)
18 L'ART IRLANDAIS 1
19 L'ART IRLANDAIS 2
20 L'ART IRLANDAIS 3
38 L'ART PRÉROMAN HISPANIQUE 1
47 L'ART PRÉROMAN HISPANIQUE 2
28 L'ART SCANDINAVE 1
29 L'ART SCANDINAVE 2

France romane

54 ALPES ROMANES
22 ALSACE ROMANE (3e éd.)
14 ANGOUMOIS ROMAN
9 ANJOU ROMAN (2e éd.)
4 AUVERGNE ROMANE (5e éd.)
32 BERRY ROMAN (2e éd.)
1 BOURGOGNE ROMANE (8e éd.)
58 BRETAGNE ROMANE
55 CHAMPAGNE ROMANE
37 CORSE ROMANE
15 FOREZ-VELAY ROMAN (2e éd.)
52 FRANCHE-COMTÉ ROMANE
50 GASCOGNE ROMANE
31 GUYENNE ROMANE
49 HAUT-LANGUEDOC ROMAN
42 HAUT-POITOU ROMAN (2e éd.)
60 ILE-DE-FRANCE ROMANE
43 LANGUEDOC ROMAN (2e éd.)
11 LIMOUSIN ROMAN (3e éd.)
61 LORRAINE ROMANE
73 LYONNAIS SAVOIE ROMANS
64 MAINE ROMAN
45 NIVERNAIS-BOURBONNAIS ROMAN
25 NORMANDIE ROMANE 1 (3e éd.)
41 NORMANDIE ROMANE 2 (2e éd.)
27 PÉRIGORD ROMAN (2e éd.)
5 POITOU ROMAN (épuisé)
40 PROVENCE ROMANE 1 (2e éd.)
46 PROVENCE ROMANE 2 (2e éd.)
30 PYRÉNÉES ROMANES (2e éd.)
10 QUERCY ROMAN (3e éd.)
17 ROUERGUE ROMAN (3e éd.)

7 ROUSSILLON ROMAN (4e éd.)
33 SAINTONGE ROMANE (2e éd.)
6 TOURAINE ROMANE (3e éd.)
3 VAL DE LOIRE ROMAN (3e éd.)
44 VENDÉE ROMANE

Espagne romane

35 ARAGON ROMAN
23 CASTILLE ROMANE 1
24 CASTILLE ROMANE 2
12 CATALOGNE ROMANE 1 (2e éd.)
13 CATALOGNE ROMANE 2 (2e éd.)
39 GALICE ROMANE
36 LEON ROMAN
26 NAVARRE ROMANE

Italie romane

74 ABRUZZES MOLISE ROMANS
70 CALABRE BASILICATE ROMANES
56 CAMPANIE ROMANE
62 ÉMILIE ROMANE
48 LOMBARDIE ROMANE
53 OMBRIE ROMANE
51 PIÉMONT-LIGURIE ROMAN
68 POUILLES ROMANES
72 SARDAIGNE ROMANE
65 SICILE ROMANE
57 TOSCANE ROMANE

Autres pays

58 ANGLETERRE ROMANE 1
69 ANGLETERRE ROMANE 2
71 BELGIQUE ROMANE
63 ÉCOSSE ROMANE
66 PORTUGAL ROMAN 1
67 PORTUGAL ROMAN 2
8 SUISSE ROMANE (2e éd.)
21 TERRE SAINTE ROMANE (2e éd.)

les points cardinaux

1 LE MONDE D'AUTUN (2e éd.)
2 LES JOURS DE LA NATIVITÉ
3 LE MONDE DE CHARTRES (2e éd.)
4 VIERGES ROMANES (2e éd.)
5 LE MONT-SAINT-MICHEL
6 LES JOURS DE LA PASSION
7 L'ESPRIT DE CLUNY
8 CHRISTS ROMANS 1
9 LE MESSAGE DE TOURNUS
10 TYMPANS ROMANS 1
11 SAINT-BENOIT-SUR-LOIRE
12 SAINTE-FOY DE CONQUES
13 TYMPANS ROMANS 2
14 CHRISTS ROMANS 2
15 LE MONDE DE VÉZELAY
16 LES JOURS DE L'APOCALYPSE
17 LA VIE DE LA VIERGE
18 ÉGLISES RUSSES
19 LES CHEMINS DE COMPOSTELLE
20 LA BIBLE DE SAINT-SAVIN
21 ANGES ET DÉMONS
22 LE MONDE DES CRYPTES
23 LA CATHÉDRALE D'ALBI
24 VIERGES GOTHIQUES
25 BESTIAIRE ROMAN
26 L'ESPRIT DE CITEAUX

introductions
à la nuit des temps

1 GLOSSAIRE DES TERMES TECHNIQUES A L'USAGE DES LECTEURS DE LA NUIT DES TEMPS (4e éd.)
2 LA TAPISSERIE DE BAYEUX
3 INTRODUCTION AU MONDE DES SYMBOLES (4e éd.)
4 ÉVOCATION DE LA CHRÉTIENTÉ ROMANE (2e éd.)
5 LEXIQUE DES SYMBOLES (2e éd.)
6 INVENTION DE L'ARCHITECTURE ROMANE (2e éd.)
7 FLORAISON DE LA SCULPTURE ROMANE.
1. LES GRANDES DÉCOUVERTES
8 FLORAISON DE LA SCULPTURE ROMANE
2. LE CŒUR ET LA MAIN
9 HISTOIRE DE L'ART FRANÇAIS 1
10 HISTOIRE DE L'ART FRANÇAIS 2
11 RÉVÉLATION DE LA PEINTURE ROMANE
12 ROUTES ROMANES
1. LA ROUTE AUX SAINTS
13 ROUTES ROMANES
2. LA ROUTE AUX SOLITUDES
14 ROUTES ROMANES
3. LA GARDE DE DIEU

BOURGOGNE ROMANE
AUVERGNE ROMANE
VAL DE LOIRE ROMAN
L'ART GAULOIS
POITOU ROMAN
TOURAINE ROMANE
ROUSSILLON ROMAN
SUISSE ROMANE
ANJOU ROMAN
QUERCY ROMAN
LIMOUSIN ROMAN
CATALOGNE ROMANE 1
CATALOGNE ROMANE 2
ANGOUMOIS ROMAN
FOREZ–VELAY ROMAN
L'ART CISTERCIEN 1 et 2
ROUERGUE ROMAN
L'ART IRLANDAIS 1, 2, 3
TERRE SAINTE ROMANE
ALSACE ROMANE
CASTILLE ROMANE 1 et 2
NORMANDIE ROMANE 1
NAVARRE ROMANE
PÉRIGORD ROMAN
L'ART SCANDINAVE 1 et 2
PYRÉNÉES ROMANES
GUYENNE ROMANE
BERRY ROMAN
SAINTONGE ROMANE
ARAGON ROMAN
LEON ROMAN
CORSE ROMANE
L'ART PRÉROMAN HISPANIQUE 1 et 2
GALICE ROMANE
PROVENCE ROMANE 1 et 2
NORMANDIE ROMANE 2
HAUT-POITOU ROMAN
LANGUEDOC ROMAN
VENDÉE ROMANE
NIVERNAIS-BOURBONNAIS ROMAN
LOMBARDIE ROMANE
HAUT-LANGUEDOC
GASCOGNE ROMANE
PIÉMONT-LIGURIE ROMAN
FRANCHE-COMTÉ
OMBRIE ROMANE
ALPES ROMANES
CHAMPAGNE ROMANE
CAMPANIE ROMANE

la nuit des temps 74

TOSCANE ROMANE
BRETAGNE ROMANE
ANGLETERRE ROMANE 1
ILE-DE-FRANCE
LORRAINE ROMANE
ÉMILIE ROMANE
ÉCOSSE ROMANE